D0833637

Requiem voor de eerste generatie

FOUAD LAROUI

(samensteller)

Requiem voor
de eerste generatie

DE GEUS – OXFAM NOVIB

Deze uitgave is mede tot stand gekomen dankzij een
bijdrage van de Stichting Fonds voor de Letteren

Verhalen © de afzonderlijke auteurs
Inleiding en samenstelling © Fouad Laroui, 2006
Publicatie in samenwerking met Oxfam Novib
Omslagontwerp De Geus BV
Omslagillustratie © Getty Images/Jake Wyman
Foto auteur © Daniela Bilek
Bercker Graphischer Betrieb, Kevelaer
ISBN 90 445 0900 4
NUR 303

Niets uit deze uitgave mag verveelvoudigd en/of openbaar
gemaakt worden door middel van druk, fotokopie, microfilm
of op welke wijze dan ook, zonder voorafgaande schriftelijke
toestemming van De Geus BV, Postbus 1878,
4801 BW Breda, Nederland. Telefoon: 076 522 8151.
Internet: www.degeus.nl

Inhoud

Fouad Laroui

Hoe ze leven, hoe ze doodgaan...

1. Enkele tientallen jaren, laten we zeggen tussen het eind van de jaren zestig en het begin van dit millennium, was de vraag: hoe leven ze? 'Ze', dat waren de buitenlanders, de immigranten, de *anderen*. Je zag ze langzaam of zenuwachtig langslopen, gehuld in kleren waaraan je kon zien dat de mensen niet van hier waren. Het waren soms kleren die leken op die van boertjes van buten – maar zij droegen ze op een andere manier: broeken die slobberden, stropdassen die uit de mode waren, hemden in een kleur die vloekte met die van het jasje. Of het waren zeer exotische schilderachtige lompen die nergens op leken, die aan verre werelden deden denken, een beetje lachwekkend of zeer smaakvol, al naar de stemming, al naar de houding. Die plunje; je moest de mensen vragen hoe ze die noemden, zelf had je geen idee. Dus leerde je woorden die in westerse oren vreemd klonken: *djellaba, haik, abaja...* Wat een gezegende tijden toen dat allemaal exotisch was en volstrekt niet bedreigend. Maar ik loop op de zaken vooruit.

Hoe leven ze? Je zag ze langslopen, tersluiks of met opgeheven hoofd, uitdagend, en je wist niet waar ze naartoe gingen. Ach, je wist wel dat er Turkse koffiehuizen bestonden waar mannen elkaar ontmoetten om te roken, te kaarten en eindeloos te discussiëren. Maar welke blanke Nederlander, gehaast, druk met zijn eigen leven, was er ooit binnengestapt? Je wist wel dat de moskee, veeleer op een onopvallende locatie, een garage soms, die als zodanig dienstdeed,

voor die mensen een toevluchtsoord was. Maar je had andere dingen te doen dan moslim worden om er eens een kijkje
te gaan nemen. Je wist dat hun vrouwen elkaar in de hamam
ontmoetten. Maar wist je ook waarom? Ze gingen er naar
het scheen heen om elkaar te ontmoeten in de geborgenheid
van een van oudsher mythisch oord – een mythisch oord,
jazeker, daar achter die nietszeggende gevel – maar ook en
vooral om te praten, urenlang te praten. Omdat veel praten
het best afleiding geeft van de schraalheid van een leven
zonder buren, de saaiheid van een leven ver weg van het
geboorteland. Daar had je allemaal geen vermoeden van. Je
wist dat de hamam bestond, maar het was nog niet in de
mode om je blanke lichaam van autochtone vrouw bloot te
stellen aan de nieuwsgierigheid van moslimvrouwen die
daar elke maand een paar uur thuis waren.

Hoe leven ze? Je zag ze hun boodschappen doen, bij ónze
Dirk, maar het waren duidelijk geen stamppotten die ze op
driehoog bereidden. Wat aten ze dan? Op dat punt was de
autochtoon beter geïnformeerd. Ze kenden de verrukkelijke
Turkse zoetigheden, die ze ontdekt hadden toen ze een keer
naar het land van Atatürk gereisd waren en waaraan ze zich
af en toe in een kleine theesalon in Utrecht of Amsterdam te
goed deden. Ze hadden ook gerechten als couscous en tajine
ontdekt, ook al verkochten vieze eettenten van alles en nog
wat onder die naam – dat was voor de fusionkeuken en de
couscous met allerlei sausjes in de mode kwamen. Nu lukt
het koks die Piet of Hans heten tajines te bereiden waar je je
vingers bij aflikt. Maar ik loop op de zaken vooruit.

Hoe leven ze? Als het avond was geworden – en 's winters
kwam de avond snel, tot groot verdriet van die trekvogels uit
het zuiden – als het avond was geworden keerden ze naar
huis terug. Hun vrouwen hoefden overigens niet naar huis
terug te keren: die kwamen nooit de deur uit, tot grote

ergernis van enkele Hollandse feministes; maar de meesten liet het koud. Die mensen zijn nu eenmaal anders dan wij, zo is het toch? Ze hebben nu eenmaal een andere cultuur dan wij, zij hebben hun eigen zeden en gewoonten. Als het avond was geworden, keerden ze naar huis terug en trokken de gordijnen dicht. Hermetisch dicht. Het was een manier om zich van de wereld af te sluiten, of om hun zorgen voor de wereld te verbergen. Eindelijk konden ze hun waakzaamheid laten verslappen, alle spieren van hun lichaam ontspannen, hoefden ze niet langer voortdurend de schijn op te houden dat ze die wereld die niet de hunne was begrepen, dat ze hem aanvaardden, ja dat ze hem zelfs prettig vonden. Toch waren die dichte gordijnen, hoe zal ik het zeggen, een beetje verdácht voor de autochtoon die op straat een ommetje maakte; hij fronste zijn wenkbrauwen en vond het maar zozo. Wat gebeurde er achter die gordijnen? Hij, de autochtoon, had niets te verbergen. Met de gordijnen helemaal open zei hij tegen de wereld: kijk maar als je wilt, dit is mijn eetkamer, mijn boekenkast, ik heb niets te verbergen. Kijk, en vervolg je weg. Dat alles tot grote ergernis van de buitenlander, die zo tegen zijn wil tot gluurder werd gemaakt. Hij liet niemand bij zich naar binnen kijken. Het misverstand was compleet.

Hoe leven ze? Er kwamen wat berichten naar buiten die – heel onvolledig – antwoord gaven op die vraag. Maatschappelijk werksters zagen alleen de ellende van de mensen – vrouwen, kinderen die zich ongelukkig voelden. Vervolgens verschenen er enkele schrijvers ten tonele met exotische voornamen en moeilijke achternamen, maar die veel in de Van Dale gekeken leken te hebben – en zij trokken de gordijnen iets open. Het waren dramatische of komische taferelen: vaders met driftbuien en moeders die mishandeld werden, of zwijgzame vaders en moeders Courage, of het waren allebei liefhebbende ouders maar helemaal de weg kwijt in deze wereld waarvan ze noch de regels noch de gebruiken kenden. Schrijvers lieten hen zien zoals ze in het gewone leven stonden en ze leken te zeggen: zijn ze eigenlijk wel zo anders? Opgelucht gaf men de schrijvers literaire prijzen, als om hen ervoor te bedanken dat ze het land op dat punt gerustgesteld hadden, dat de mens de broeder van de mens is, ook al kost het hem soms moeite zijn met merkwaardige, schilderachtige lompen uitgedoste alter ego als zodanig te herkennen.

Hoe leven ze? Zo'n vijftien jaar geleden kwamen er dus antwoorden op die vraag, die nauwelijks geromantiseerd waren en waarop met belangstelling en sympathie werd gereageerd. Op dat moment ook, toen de polderbewoner de ander in zijn spiegelbeeld begon te herkennen – vast een beeld met wat barstjes, een wat wazig beeld – op dat moment ook werd de vraag anders. Die werd: hoe gaan ze dood?

2. Hoe gaan ze om met de dood, hun eigen dood, die van anderen, die van degenen die net zo zijn als zij en van degenen die niet net zo zijn als zij? De jaren gaan voorbij, de eerste generatie verdwijnt geleidelijk. Uit het Rifgebergte of Anatolië of van overzee gekomen om haar arbeidskracht te verkopen in de mijnen of de fabrieken in Nederland, begint ze nu terug te stromen, als een golf die in schuim is uiteengespat, die alles gegeven heeft en alleen nog maar weg hoeft te wezen. Of zoals die kolderkat bij Lewis Carroll, die geleidelijk verdwijnt en waarbij alleen zijn grijns nog een poosje blijft hangen terwijl de rest al weg is.

Ze verdwijnen. We hebben ze nauwelijks gekend. Het is nu tijd om een requiem te componeren voor die eerste generatie buitenlanders in Nederland.

Je kunt het niet zo'n vrolijk onderwerp vinden, maar is het leven altijd zo vrolijk? Bovendien, de dood maakt deel uit van het leven. De mens weet dat hij moet sterven, dat is zelfs wat hem wezenlijk onderscheidt van het dier, met de taal en het denken. *Mors certa, hora incerta...* En aan het eind van deze ontwikkeling wordt duidelijk dat in de laatste vraag – hoe gaan ze dood? – het bewijs ligt van de menselijke verbondenheid.

Je weet natuurlijk niet echt wat het is om dood te zijn. Zoals Epicurus zei: 'Zolang ik leef, is de dood er niet. En als de dood er is, ben ik er niet meer.' Je staat nooit tegenover je eigen dood, je wordt altijd geconfronteerd met de dood van anderen, en allereerst met de dood van degenen die wij liefhebben. Dat verlies maakt ons bewust van onze eigen sterfelijkheid. In een van de eerste literaire mythen van de mensheid, vijfduizend jaar oud, ontdekt Gilgamesj, die meent onsterfelijk te zijn, de dood via die van Enkidoe, zijn vriend, zijn dubbelganger. Dan beseft hij dat hij op een dag eveneens zal sterven... Eerst verslagen door die gedachte – hij drukt het dode lichaam van Enkidoe vertwijfeld tegen zich aan tot de wormen uit zijn neus kruipen... – keert Gilgamesj terug om zijn levenstaak te vervullen: een wijze koning van zijn stad Oeroek te zijn.

De mens is een wezen dat zijn doden begraaft – 'niemand van ons zal u zijn grafstede weigeren om uw dode te begraven' (Genesis 23:6) – en men begrijpt de dramatische koppigheid van Antigone in het stuk van Sophokles, ter dood veroordeeld omdat ze, ondanks het door de tiran Creon uitgevaardigde verbod, haar broer Polynices heeft begraven.

Dat is wat de mens doet, wat hem onderscheidt van het dier. Bijna honderdduizend jaar geleden werd een beslissende stap in de geschiedenis van de mensheid gezet toen de eerste begrafenissen plaatsvonden, toen de mens systematisch leden van zijn soort begon te begraven in een speciaal daarvoor gegraven kuil. De mens is een wezen dat zijn doden begraaft en bepaalde begrafenisrituelen uitvoert. Vanaf het Midden-Paleolithicum, tachtigduizend jaar geleden, werden er offergaven bij het stoffelijk overschot gelegd: porties vlees, dierenschedels, verschillende voorwerpen...

De mythen lijken natuurlijk verschillend, de rituelen zijn dat zeker, de techniék is niet altijd hetzelfde – geen sprake van dat een moslim gecremeerd wordt, bijvoorbeeld. Maar uiteindelijk verhult dat alles slechts zeer onvolledig de keiharde waarheid: iedereen leeft in een cultuur waarvan hij wil of denkt dat die verschilt van andere, maar dit zichzelf blindstaren op kleine verschillen – of deze nederigheid – houdt op op het moment dat hij zijn ogen sluit. Blijft nog slechts een stoffelijk overschot dat in zijn kwetsbaarheid en naaktheid lijkt op alle andere. *Mors, ultima ratio.* Het gebed voor de doden begint bij de moslims met deze woorden: 'Er is een mens gestorven', of die mens nu koning of schoenlapper was. Wat ook bij Montaigne te vinden is: 'De grootste mens die eenvoudig mens was, Alexander, stierf eveneens toen (zijn) tijd gekomen was' (*Essays*, i, xx). Dit hoofdstuk van de *Essays* heet trouwens: 'Filosofie is leren sterven'.

Dus laat de naasten van de dierbare overledene de rituelen uitvoeren die ze willen – op de pagina's die volgen zullen we zien welke – dat moeten ze zelf weten en dat gaat alleen hen aan. Zij vinden ongetwijfeld een zoete troost in die soms duizenden jaren oude handelingen. Op minder bewuste wijze zijn deze handelingen een herhaling van wat ooit de grondslag heeft gevormd van het geheel van culturele uitingen van de mens: de bevestiging dat de dood slechts een overgang is, dat het leven doorgaat in de gemeenschap van de stam of in de maatschappelijke groep, dat dit het doorgeven van kennis en vaardigheden veiligstelt, dat dit cultuur mogelijk maakt en dus de menselijke beschaving. Het individu sterft, maar de mens is onsterfelijk. Dat is een andere manier om te zeggen wat de stoïcijnen ruim twee-duizend jaar geleden zeiden: 'De wereld is eeuwig en dat is wat ons redt van de angst voor de dood; wij zijn immers een onderdeeltje, een atoompje in die eeuwigheid.'

Maar laten we de sluier oplichten die ons scheidt van de overledenen van de eerste generatie: het naakte stoffelijk overschot, dat wacht tot de levenden het zijn laatste bestem-ming geven, geeft een helder antwoord op de vraag 'hoe gaan ze dood?': net als u. Net als iedereen.

3. Dit requiem voor de eerste generatie zal geen slotlied mogen zijn. Wanneer we eenmaal eer hebben bewezen aan degenen van wie je kunt zeggen: 'Ze verdienden hun brood, maar het werd hun dood', zoals Jacques Prévert het zo treffend uitdrukte, begint het nadenken. Wat houden die twee kanten van onze relatie met de Ander eigenlijk in: gisteren 'hoe leven ze?'; vandaag 'hoe gaan ze dood?'... Verleden en toekomst: is het ons lot tussen die twee polen gevangen te zitten? Dan missen we dus het heden, het enige waar het in het leven echt om gaat. Ook al zijn tussen het eind van de jaren zestig en het begin van dit millen-nium de vragen veranderd, ook al is het belangrijk er ant-woord op te geven om elkaar beter te leren kennen, toch moet dat ten slotte leiden tot een enkele vraag, de enige die alleen in de tegenwoordige tijd kan worden gesteld: hoe leven we met elkaar?

Kader Abdolah

Sejjed

Op de vismarkt van Zwolle tegenover het museum bevindt zich de grootste Perzische-tapijtwinkel van Overijssel.

De eigenaar van de tapijtwinkel is een Iraniër van zevenenveertig met een lange, moeilijke achternaam die door zijn Nederlandse collega's is afgekort tot 'Khan'. Zoiets als 'Jan'.

Khan is getrouwd met Anneke en ze hebben twee dochters, dochtertjes. Soms als hij alleen in zijn winkel zit, kijkt hij naar de Peperbus en denkt: zo loopt het leven. Dit uitzicht, die Peperbus is een deel van mijn bestaan geworden. Een stukje van mijn identiteit.

Khan is actief lid van een van de invloedrijkste mannenclubs van de regio. Hij is niet alleen voor die club gevraagd omdat hij een succesvolle koopman is, hij heeft het ook te danken aan zijn intellect en aan zijn politieke ervaringen in het vaderland.

Er valt niets te klagen. Toch voelt hij zich ongelukkig. Soms als hij naast Anneke ligt en het licht uit is, praat hij er met haar over: 'Weet je, af en toe denk ik dat ik deze rust niet verdien. Vele vrienden van mij, kameraden van toen, liggen nu begraven of zitten nog altijd achter de tralies. En ik? Ik ben een rijke tapijthandelaar geworden. Ik heb het goed. Ik wil mijn rijkdom met hen delen, maar hoe?'

Anneke heeft hem vaak gezegd: 'Je kunt iets delen met je familie. Nodig je zusjes een keertje bij ons uit.'

Maar zo simpel is dat niet. Zij hebben kleine kinderen en

ze kunnen bovendien niet zo gemakkelijk het land uit.

De moeder van Khan is twee jaar geleden overleden.

'Doe dan iets voor je vader', zegt Anneke. 'Laat hem een keer komen. Als hij ook dood is, zul je er spijt van hebben als je hem nooit hebt uitgenodigd.'

'Hoe dan? Je weet dat het niet kan. Hij is niet normaal. Hij doet gekke dingen. Ik ben bang om hem hier te laten komen.'

'Bang? Waarom bang?'

'O, je weet het niet.'

Khans vader is gehandicapt. Licht verstandelijk gehandicapt. Hij ziet er wel normaal uit, maar soms doet hij zomaar gekke dingen. Waarmee hij de familie vroeger in grote verlegenheid had gebracht. Khan had nooit over die kant van zijn vader met Anneke gepraat. Hij dacht: als Anneke hem toch nooit ziet, wat is dan het nut om haar iets te vertellen?

'Noem eens een voorbeeld', zei Anneke op die avond toen Khan zijn hart bij haar luchtte.

'Een voorbeeld, even nadenken. Ja, ik weet het. Toen mijn oudste zus wilde trouwen, gingen we voor de eerste kennismaking naar de familie van de bruidegom. We wisten waartoe mijn vader in staat was. Daarom vroeg ik hem naast me te gaan zitten, zodat ik hem in de gaten kon houden. Er stonden allerlei lekkernijen op tafel, onder andere van die lekkere Perzische koekjes. Ze roken zo lekker dat het water je in de mond liep. We waren net binnen en we zaten nog niet of mijn vader stopte meteen twee koeken in zijn mond. Mijn moeder bloosde.'

Anneke lachte en zei: 'Dat is toch niet zo erg?'

'Wacht even, het verhaal is nog niet af. Ik keek hem boos aan en gebaarde dat hij zich moest gedragen. Hij ging stil zitten en paste zich aan, maar toen we diep in gesprek waren, stopte hij stiekem een paar koekjes in zijn zak.'

Anneke lachte luid: 'Wat lief!'

'Wat lief? Iedereen zag het en mijn arme zus huilde bijna. Toen hij merkte dat ik hem niet kon stoppen, pakte hij er weer twee en hij stopte ze glimlachend in zijn mond. En nog een.'

'Ach, wat erg,' zei Anneke, 'hoe komt het dat hij zulke dingen doet?'

'Kijk, onze familie is een van de gevestigde families uit de regio. Een grote familie met oude gewoontes, een stamboom, boeken, heilige teksten en noem maar op. Een trotse familie die geen dochter van anderen toeliet. Dus zijn er veel interne huwelijken. Door die huwelijken zijn er allerlei soorten mensen in onze familie te vinden. Van slimmeriken tot dwazen. Van buitengewoon mooie vrouwen tot lelijke tantes. Alles van goed tot kwaad. Doven, stommen, blinden, verstandelijk gehandicapten, dichters, schrijvers, vertellers, politici, en mijn vader.'

'Dat vind ik leuk, ik vind dat echt leuk. Waarom heb je me dat niet eerder verteld? Vertel nog eens wat van je vaders rare streken. Hij is wel de grootvader van mijn kinderen.'

'Oké dan. Mijn vader hield ontzettend van vrouwen.'

'Vertel!'

'Ooit kregen we nieuwe buren. Een jong stel. De vrouw liep altijd met een zwarte chador om en ze was jong en bijzonder mooi. Ze had donkerbruine ogen, je weet wat ik bedoel. Ze kwam bij ons langs om kennis te maken. En ze deed haar chador een beetje los, waardoor ik de vorm van haar mooie lichaam kon zien, dat ze gehuld had in een donkerrode jurk.'

'Hoe oud was je toen?' vroeg Anneke.

'Ik was student. Ik keek naar haar gezicht, naar haar lippen, naar haar hals, naar haar borsten en ze deed haar chador nog een stukje open en glimlachte. Ik brandde van verlangen. Op dat moment kwam mijn vader overeind. Hij liep naar haar toe. Zonder dat hij een woord sprak, nam hij haar zachtjes bij de armen en kuste haar op haar wangen. Daarna liep hij naar buiten. O, mijn god, het zou bij niemand opkomen om zoiets te doen. Wij kusten nooit vreemde vrouwen.'

'Geweldig!' zei Anneke.

'Wat, geweldig?'

'Volgens mij kent hij geen remmingen. Hij doet wat hij voelt. Laat hem komen', zei Anneke.

'Wie? Mijn vader?!'

Twee maanden later stopte er een vrachtwagen voor Khans winkel. Het was zaterdag en uitgerekend die dag hielden homoseksuelen een landelijke demonstratie in het centrum. Honderden dansende homo's die uit alle hoeken van het land en zelfs uit België en Duitsland naar Zwolle waren gekomen, verzamelden zich voor de winkel van Khan om straks juichend met blote billen door de straten te gaan. Khan wachtte op de vrachtwagen. Blijkbaar was alles goed gegaan. Men had hem net uit Duitsland gebeld om te melden dat zijn vader via de grens vanaf Arnhem onderweg naar Zwolle was.

Hij kon zijn vader niet per vliegtuig laten overkomen, want de man had nooit eerder het vaderland verlaten, ook nooit een lange reis gemaakt. Aan de andere kant wilde Khan uit veiligheidsoverwegingen voor zijn familie zijn vader niet rechtstreeks naar Nederland laten komen. Hij had veel contact met de vrachtwagenchauffeurs die uit zijn streek Djirja-tapijten naar Duitsland transporteerden. Ook had hij goed contact met de gevestigde Perzische-tapijthandelaars in Duitsland. Alles was dus geregeld. Zijn vader zou rond halftwee in Zwolle zijn.

De homodemonstranten waren net weg toen de vracht-wagen langs boekhandel Waanders langzaam richting de winkel was gereden. De chauffeur stapte uit en riep lachend naar Khan: 'Tjonge, jonge! Wat we vandaag allemaal gezien hebben. Wat is er aan de hand in je stad, waarom loopt iedereen met zijn billen bloot? Ik denk dat de mond van je vader niet meer dicht kan van verbazing.'

Met moeite stapte zijn vader uit. Khan kon niet geloven dat dat zijn vader was die daar op de stoep van zijn winkel stond. Hij omhelsde hem in stilte en hield hem lange tijd in zijn armen.

'Hé, hé, wacht eens even. Kijk uit, je maakt mijn hoed kapot', zei zijn vader.

Khan lachte hardop. Hetzelfde humeur, dezelfde vader die altijd trots op zijn hoed was. Maar hij gedroeg zich serieuzer. Als een oude, wijze man.

Khan vond het goed en genoot van de kalme beheerste bewegingen die hij met zijn armen maakte. Hij nam hem mee naar de winkel.

'Groeten van je zusjes!' zei zijn vader beheerst.

Na een korte stilte: 'Groeten van de kruidenier!'

'Groeten van de slager. Ook van de bakker en van de groenteman.'

'Dank u, vader!'

'Groeten van de buurvrouwen!'

'Dank u, vader. Laat me u nog een keer omarmen.'

'Genoeg!'

De vrachtwagenchauffeur verdween in het Turkse café tegenover de winkel.

Khan belde Anneke: 'Hij is aangekomen.'

'En?'

'Ik ben zo blij. Hij is een heer, een echte heer.'

'Mooi! Komen jullie dan gauw naar huis?'

Zijn vader stond midden in de winkel en keek naar de tapijten die aan de wand hingen.

'Je bent dus tapijthandelaar geworden', zei hij zonder hem aan te kijken.

Khan voelde de bittere kritiek in zijn opmerking.

'Ja, nee, eigenlijk wel, maar weet u, hier is het heel anders dan in ons land, ik ben wel degelijk bezig met hoe zeg je dat, politiek, boeken en ja, als je je huis verlaat, weet je niet wat je overkomt. U bent moe, vader, we gaan straks naar huis, gaat u nu even zitten?'

Hij hielp hem in zijn grote luie bureaustoel. Zijn vader ging zitten en draaide in de stoel als een kind en zei lachend: 'In dit land hebben zelfs de tapijthandelaars doktersstoelen.'

Khan voelde de steek. Maar hij wist niet of zijn vader het hem echt verweet of dat het zijn kinderlijke aanleg was.

Hij regelde wat met de vrachtwagenchauffeur, stopte een paar geldbiljetten in zijn zak en dankte hem voor alle moeite die hij gedaan had.

Daarna liet hij de winkel aan zijn verkoophulp over en liep met zijn vader naar de parkeerplaats waar zijn Mercedes stond.

Bij de Kijkshop merkte hij dat zijn vader was achtergebleven. Hij keek om en hij kon zijn ogen niet geloven. Zijn vader had een boom omarmd en bewoog zijn onderbuik nu tegen de stam aan. Afschuwelijk.

'Wat bent u aan het doen, vader?' vroeg hij verbaasd.

'Mijn buik doet pijn. Als ik hem ergens tegenaan druk, voel ik me beter. Soms kan ik niet meer ademhalen. Laten we gaan. Ik voel me al wat beter.'

'Nee, vader, zulke dingen moet je hier niet doen. Thuis heb ik wel iets tegen maagzuur. Kom maar mee!'

Hij is moe, dacht Khan bij zichzelf en al bijna een week onderweg. Straks als hij een douche heeft genomen en

Anneke heeft ontmoet en zijn kleinkinderen ziet, komt alles weer goed.

'Meisjes! Kom eens! Hier is jullie Perzische grootvader', riep Khan thuis op de gang.

Anneke had haar mooie kleren aan. Maar de meisjes renden naar boven. Ze giechelden verlegen en wilden niet meer naar beneden komen.

Anneke verwelkomde Khans vader. Khan was zenuwachtig.

Als een heer deed zijn vader zijn hoed voor Anneke af en boog zijn hoofd een beetje voorover. Anneke wist niet hoe ze moest reageren.

'Kom verder, vader', zei Khan.

'Wacht eens even', zei zijn vader terwijl hij in zijn binnenzak zocht. 'Ik heb juwelen voor mijn schoondochter meegenomen.' Hij deed zijn hand voor Anneke open en toverde een schitterend halssnoer tevoorschijn met rode steentjes die op traantjes leken: 'Hier, voor jou, mijn dochter. Doe maar om.'

Anneke was sprakeloos. Ze verstond een beetje Perzisch en deed de juwelenketting om.

'Mooi', zei zijn vader en hij liep naar de zitkamer.

Hij keek naar boven, waar de meisjes giechelden, en riep: 'Ik heb mooie gouden ringetjes en oorbelletjes voor jullie. Als jullie ze willen hebben, moeten jullie nu naar beneden komen, anders ga ik slapen.'

De kinderen begrepen hem niet. Khan vertaalde zijn woorden. Maar de meisjes kwamen niet opdagen. Hij ging naar de badkamer om het ligbad voor zijn vader klaar te maken.

Anneke keek in de spiegel naar haar ketting. Toen ze terugkwam, zag ze dat Khans vader languit op de grond op het tapijt lag te slapen met zijn hoed op zijn borst.

's Nachts werd Anneke wakker van gehoest. Khans vader hoestte onophoudelijk en het klonk afschuwelijk. Ze maakte Khan wakker: 'Ga eens even bij je vader kijken.'

Khan ging achter de deur staan en riep zachtjes: 'Vader? Bent u wakker?'

Geen antwoord, alleen woest gehoest. Hij ging naar binnen. Zijn vader sliep. Khan haalde een glas water, maakte hem wakker en hielp hem drinken.

'U hoest. Waarschijnlijk bent u verkouden.'

'Nee, niet verkouden', zei hij slaperig.

De hele nacht hoestte hij.

'Ik vind het niet normaal. Ga maar met hem naar de dokter', zei Anneke.

'Morgen is het zondag. Maandag moet ik een paar nieuwe tapijten naar Kampen brengen. Dan kan ik wel even langs dokter Deinema. Hij is lid van onze club. Ik zal hem bellen.'

's Morgens toen zijn vader aan de ontbijttafel zat, hoestte hij niet meer. Hij zat vrolijk grapjes te maken met de kinderen. Anneke maakte pap voor hem en liet hem goed uitrusten. Na het ontbijt ging hij met de kinderen naar hun kamers en bleef daar lange tijd met ze spelen.

Khan voelde zich gelukkig. Het leek alsof zijn vader niet voor hem was gekomen maar voor zijn dochtertjes.

'Zie je? Nu begrijp je wat ik bedoel. Hij is een kind', zei hij tegen Anneke.

Hij rende boven met de kinderen van de ene kamer naar de andere en je hoorde hem hoesten.

'Ik vind hem lief.'

In Kampen was men met reuzenhijskranen bezig grote stukken van een nieuwe brug te plaatsen. Tientallen mensen stonden aan de kant en keken hoe de bouwvakkers de brug monteerden. Het was indrukwekkend voor iedereen en vooral voor Khans vader. Khan maakte een paar foto's van hem terwijl op de achtergrond een hijskraan een enorm deel van de brug optilde.

'Om halfvijf hebben we een afspraak bij de dokter. Dus we hebben nog tijd. Ik moet nog een paar dingen regelen en ik breng u even naar een landgenoot, als u het goedvindt.'

Hij parkeerde zijn auto voor een tapijtwinkel en zei tegen zijn vader: 'Deze winkel is eigenlijk ook van mij. De tapijten zijn van mij. De verkoper werkt voor mij.'

Khan verwachtte dat zijn vader nu zou zeggen: 'Je hebt dus twee winkels.' Maar hij zei: 'De groeten van je oom, jongen! En ook van je tante. Dat mocht ik niet vergeten.'

'Tante Faghri? Hoe is het met haar, nog altijd vrolijk?'

'Nee!'

Khan hielp hem uitstappen en ze liepen de tapijtwinkel binnen. De winkelier groette zijn vader uitbundig en bood hem zijn eigen stoel aan. De radio was aan en in een Perzisch programma van de BBC ging het over de moord op een paar Iraanse schrijvers in Teheran.

'Wat goed dat u gekomen bent. Khan is er lange tijd mee bezig geweest u hiernaartoe te brengen. Het was een hele onderneming. Een wonder dat het gelukt is', zei de winkelier.

'Ik breng even een tapijt naar een klant terwijl jullie aan het praten zijn. Ik ben zo terug', zei Khan. Hij knipoogde en zei in het Nederlands: 'Pas goed op hem.'

De winkelier was blij met de vader van Khan. Hij vroeg hem over Iran, over de geestelijken, over de politiek en over de nieuwe president en hij wilde weten hoe de situatie verder was.

'De nieuwe president is een goede man. Hij kwam en ik kreeg mijn paspoort. Anders had ik hier niet naartoe kunnen komen.'

'Ik geloof niet in hem, maar ik heb wel mijn paspoort gekregen.'

De winkelier zette een kop koffie voor hem neer.

'Hoe heet deze stad ook alweer?' vroeg Khans vader.

'Kampen!'

'Is het een goede stad? Ben je tevreden?'

'Rustige stad. Veilige stad. Goed voor ons, voor gezinnen met kleine kinderen. Maar de Kampenaren zijn stug, een apart soort mensen. Je kunt hun emoties nooit van hun gezicht aflezen. Als je een mop vertelt, lachen ze niet maar staren ze je aan. Je weet niet of ze het leuk vinden of niet. Zwollenaren maken veel grappen over Kampenaren. Pas geleden heb ik een boek over Kampenaren op de rommelmarkt gekocht. Ik probeer het te lezen, maar mijn Nederlands is niet zo goed, ja, het is een soort taaloefening, er staan veel grappige dingen in. Net las ik een verhaaltje dat heel goed bij ze past. Even kijken waar het boekje ligt. Hier, kijk eens naar deze prent; een vogel in de boom en een vrouw, de vrouw van de burgemeester in traditionele kleding. Zij heeft een vogelkooi in haar hand. Ze heeft het raam van haar kamer opengelaten en de vogel van de burgemeester is weggevlogen. Nu smeekt ze de vogel om in zijn kooi terug te keren. Maar de vogel wil niet. Grappig, het verhaal is lang. En aan deze mensen probeer ik mijn tapijten te verkopen.'

Een halfuurtje later kwam Khan terug.

'Gaat u mee, vader?'

Dokter Deinema ontving Khans vader heel vriendelijk en vertelde hem dat zijn zoon een succesvolle immigrant was, dat hij in korte tijd een nieuw volwaardig bestaan in Nederland opgebouwd had. Khan vertaalde de woorden van de dokter en zijn vader glimlachte en boog zijn hoofd als een echte heer een beetje voorover.

De dokter luisterde aandachtig naar zijn hart en toen naar zijn longen, weer naar zijn hart en opnieuw naar zijn longen. Hij ging zitten, pakte zijn pen en vroeg naar zijn voornaam.

'Hij heet Sejjed', zei Khan.

'Is je vader eerder bij een dokter geweest? Ik bedoel het afgelopen jaar?'

'Dat weet ik niet.'

'Volgens mij heeft hij minstens één keer een hartaanval gehad.'

'O ja? Daar weet ik niks van. Vader, hebt u ooit last van uw hart gehad?'

'Pijn!'

'Khan, ik heb geen goed nieuws voor je', zei de dokter.

'Wat is er dan?' vroeg Khan terwijl hij naar zijn vader keek.

'Luister, zijn longen begeven het bijna.'

'Wat bedoel je?'

'Je bent slim genoeg om te begrijpen wat ik bedoel. Rookt je vader?'

'Nee, nooit, volgens mij.'

'Wat heeft hij voor beroep gehad?'

'Hij is een beetje zwakbegaafd. Hij werkte als loper in een katoenbedrijf.'

'Het hoeft niet, maar dat zou best de oorzaak kunnen zijn. Zijn longen hebben geen rek meer.'

'En?'

'Op is op!'

'Betekent dat dat...'

'Ja, iedereen gaat dood, alleen weten we niet wanneer. Maar in het geval van je vader kan het snel gebeuren.'

'Een behandeling?'

'Te laat. Ik geef hem wat hoestdrank, een soort verdovingsdrank zodat hij 's nachts rustig kan slapen. Sorry, meer kan ik niet doen.'

Op de terugweg nam Khan de weg richting Zalk en was hij lange tijd stil. Zijn vader zat naast hem. Hij vroeg zelfs niet waarom Khan verdrietig was, of wat de dokter had gezegd.

In Zalk parkeerde hij naast de kerk en nam zijn vader mee naar het café om een kop koffie te drinken. Het was een rustig café. Khan nam zijn collega's uit Duitsland vaak mee hiernaartoe voor een etentje. De kastelein bood hem een sigaartje aan, zette een asbak neer en kwam naast hem zitten.

'Mijn vader', zei Khan.

'Aangenaam', zei de kastelein. Hij stak zijn sigaartje op en zei: 'Heb je misschien een mooie loper voor mij?'

'Voor de winkel?'

'Nee, voor thuis.'

'Ik heb pas geleden een paar mooie binnengekregen.'

Zijn telefoon ging. Het was Anneke: 'Waar ben je?'

'In Zalk, een kop koffie drinken.'

'Ben je bij de dokter geweest?'

'Ja!'

'En?'

'Geen goed nieuws.'

'Vertel!'

'Ik zal het je thuis wel vertellen.'

Toen hij thuis was, nam hij Anneke mee naar boven.

'Heb je het hem verteld?'

'Nee, dat doe ik niet.'

'Wat zei de dokter precies?'

'Hij zei dat zijn longen op zijn. Ze begeven het misschien morgen, of misschien over een maand, of later, ik weet het niet.'

Anneke legde haar hand op de schouder van Khan en zei:

'Kom op! Laten we optimistisch zijn. Hij leeft nog. We laten hem hier goed uitrusten en maken er een mooie vakantie van voor hem.'

'Ik denk dat ik zijn verblijf hier korter moet maken. Daarna zal ik hem naar Duitsland brengen en per vliegtuig terugsturen.'

'We zullen zien. Maak het alleen niet erger dan het is; laat hem genieten van zijn reis.'

De volgende dag nam Khan zijn vader mee naar zijn kapper. Die knipte zijn vader netjes en schoor hem op een ouderwetse manier met schuim en scheermes, wat hij alleen voor speciale klanten deed.

'Zal ik zijn snor laten staan?' vroeg de kapper.

'Ja, laat die maar staan!'

Vervolgens nam hij hem mee naar een uitstekende Italiaanse-kledingzaak, waarvan hij de eigenaar goed kende.

'Giani! Mag ik je voorstellen: de heer Sejjed! Mijn vader. Maak van hem een Italiaanse godfather', zei hij lachend.

Giani nam Sejjed mee naar de paskamer. Binnen een kwartiertje had hij hem omgetoverd in een echte godfather, met een nieuw zwart pak, wit overhemd, donkerbruine schoenen en een brede zwarte hoed.

Khan moest lachen, hij genoot en vroeg zijn vader of hij het leuk vond. Maar Sejjed zweeg met een glimlach.

Khan belde de fotograaf in de Diezerstraat en vroeg hem of hij kon langskomen om een portret van zijn vader te laten maken.

De fotograaf zette een mooie klassieke stoel neer, liet Sejjed erop zitten en maakte een paar portretten. Khan nam zijn vader mee naar de promenade en naar het restaurantje van de Hema, waar op dat moment veel oude mensen achter hun appeltaart en kopje koffie zaten.

Daarna gingen ze naar de bibliotheek en Khan stelde hem voor aan mevrouw Annie Holtman, de directrice van de bibliotheek. Ze vroeg Khan of zijn vader misschien een kijkje in de mooie oude statenzaal wilde nemen.

Khan nam de uitnodiging van harte aan en samen gingen ze naar de antieke zaal. Khan merkte dat zijn vader zowel van de monumentale wandschilderijen genoot als van de aanwezigheid van de directrice. Een oud signaal waarschuwde hem dat hij de boel in de gaten moest houden. Hij ging tussen de directrice en zijn vader in staan, om te voorkomen dat zijn vader haar opeens vast zou pakken en op de wangen zou kussen.

Maar alles verliep goed. Beheerst drukte hij haar hand, nam zijn hoed voor haar af en zo gingen ze ervandoor.

Nu ze weer op de promenade waren, vond Khan het leuk dat zijn vader nog altijd oog voor mooie vrouwen had. Hij zou hem een keer mee naar Amsterdam moeten nemen, naar de onderwereld van Amsterdam, naar de plekken waar de vrouwen stripteases deden, bijvoorbeeld. Of naar de cafés waar de serveersters je met blote borsten bedienden. Maar hij kende die plekken zelf niet. Misschien zou hij aan een van zijn vrienden moeten vragen om zijn vader een avond mee naar Amsterdam te nemen.

Nee, dat ging niet. Dat kon hij zijn vader niet aandoen. Ook in verband met Anneke wilde hij het niet.

Misschien was een middagje naar Deventer beter? Ooit was hij daar bij toeval langs de roze wijk gereden en had hij de vrouwen achter de ramen zien staan. Misschien was het niet zo'n slecht idee om er even naartoe te rijden. Wellicht viel er in een van die cafés iets te beleven. Geen slecht idee, maar hoe moest hij het aan zijn vader vertellen?

Toen ze weer in de winkel waren, draaide Khan het telefoonnummer van de burgemeester van Deventer.

'Hallo, met Khan!'

'Hallo, hoe is het met je?'

'Goed, zelfs een beetje in een feeststemming.'

'Hoezo, feeststemming?'

'Mijn vader is bij mij op bezoek. Elkaar vijftien jaar niet gezien. Met een vrachtauto, ja, vrienden, rechtstreeks van zijn huis naar mijn winkel. Zeker, vermoeiend, maar hij heeft het leuk gevonden, veel gezien. Nee, nee, op het platteland, een bergachtig gebied. En hij heeft jouw tapijt meegenomen. Ja hoor, mooi, prachtig handwerk, een monumentaal tapijt gemaakt door een groep vrouwen in een fabelachtig dorpje uit onze streek. Honderd keer mooier dan je verwacht. Morgenavond ben ik even in Deventer, dus als je thuis bent, neem ik het mee. Ik neem mijn vader ook mee. Het is goed voor hem om het huis van de burgemeester van Deventer te bezichtigen. Ja, ja, ja, museumwaarde. Oké dan, tot morgenavond. Iets anders, ik had mijn vader gevraagd om die gedichtenbundel voor je mee te nemen. Het is zeer origineel, iets wat precies in je werkkamer van het gemeentehuis past. Je bent tenslotte burgemeester van een multiculturele havenstad. Je zou het ter decoratie in je vensterbank kunnen zetten. Een uniek exemplaar. Oké, ik zie je.'

Toen ze naar Deventer gingen, nam Khan de weg langs de IJssel: 'Kijk, mooi hè? Op de een of andere manier heeft de rivier iets weg van een mooie vrouw, vooral het gedeelte tussen Zwolle en Deventer. Graag wil ik dit stuk eens samen met u fietsen. We gaan het zeker nog een keer doen. De IJssel is een bijzondere rivier, heel anders dan onze rivieren; zij loopt zachtjes en elegant. In sommige plaatsen loopt ze als een echte dame. Op een andere plek als een mooie jonge vrouw. Ook soms verlegen als een Hollands meisje. Kijk daar, de eenden die net neerstrijken, en de boompjes die uit het water steken en de lichte mist die als een doorzichtige lap alles bedekt; ze vormen samen een lyrisch gedicht.'

In Olst reed Khan naar de begraafplaats waar een Iraniër begraven lag. 'Een kolonel. We waren samen op de vlucht. Maar hij kon de vlucht niet doorstaan. Hij kon geen afstand nemen van zijn verleden, wilde altijd kolonel blijven, maar dat ging niet. Hij dronk en dronk, rookte en zuchtte. Nu ligt hij hier begraven. Een mooie plek. Een keer reden we toevallig langs deze begraafplaats. De kolonel zei: "Rustig, groen, oude bomen, vogels, en je hoort de IJssel 's nachts als je hier begraven ligt. Hier wil ik begraven worden." Toen hij stierf, bracht ik hem hiernaartoe.'

Zijn vader knielde volgens gebruik bij het graf en zei binnensmonds een soera op.

'Ik wil hier niet begraven worden', zei Khan. 'De grond is nat, erg nat, dat vind ik eng. Ik zou liever in ons eigen land begraven worden. Wat denkt u, vader?'

'Je bent nog jong', zei zijn vader. Verder zei hij niets en hij liep naar de auto.

Toen ze in Deventer waren, stelde Khan voor om even langs te gaan bij de burgemeester. 'De burgemeester houdt van poëzie, soms maakt hij gedichten. Daarom heb ik u gevraagd die bundel mee te nemen. In Deventer wonen veel immigrantenarbeiders; de burgemeester heeft een goed hart; ik ken hem persoonlijk. Dat mooie tapijt heb ik speciaal voor hem besteld. Maar vader, luister wel even, Nederlanders zijn ontzettend zuinige mensen, soms ook erg gierig. Als de burgemeester ons een kopje koffie aanbiedt, zegt u dan gerust ja, waarschijnlijk doet hij de koektrommel open en biedt hij ons een koekje aan. Dat is hier normaal. Maar u moet eigenlijk niet meer dan één koekje nemen. Dat zeg ik niet omdat ik u niet meer zou gunnen, het is hier gewoon gebruikelijk. Dus denk erom, eentje maar, en niet meer.'

Khan rolde het tapijt in de woonkamer van de burgemeester uit. 'Wow! Wat een droomtapijt. Zoiets heb ik nog nooit gezien. Ik vrees dat ik het niet kan betalen.'

'Het is niet zo duur,' zei Khan, 'er zit geen bemiddelaar tussen. Het is rechtstreeks vanuit Djirja naar je zitkamer gekomen. Ik bied dit tapijt niet iedereen aan. Alleen aan vrienden. Aan mensen die de kunst van het tapijtknopen respecteren, aan een dichter en iemand die een goed hart voor anderen heeft.'

De burgemeester genoot duidelijk van Khans complimenten.

'Ik heb het eigenlijk voor mijn dochter besteld,' zei de burgemeester lachend, 'maar ik hou het mooi zelf.'

'Ik zal iets eenvoudigers voor je dochter zoeken,' zei Khan, 'iets met bloemen en vogels. Kijk, mijn vader heeft de gedichtenbundel ook voor je meegenomen.'

'Jazeker, sorry, sorry, ik was zo ondersteboven van het tapijt, dat ik, hoe moet ik het zeggen, hartelijk bedankt voor... begrijpt je vader Nederlands? Natuurlijk niet. Engels dan?'

'Ik zal het voor hem vertalen', zei Khan.

Sejjed overhandigde een redelijk groot ingepakt boek aan de burgemeester.

Hij scheurde voorzichtig de verpakking open en hield het boek met beide handen in het licht: 'Prachtig, zoiets had ik niet verwacht! Wil je een gedicht voorlezen, hoe zeg je het, in het Farsi?'

Khan zocht naar een gedicht en wilde het voordragen toen zijn oog opeens op zijn vader viel die een steunpaal midden in de kamer omhelsde en er zijn onderbuik tegenaan bewoog. De burgemeester vroeg verbaasd: 'Wat doet hij?'

'Eh, eh, niets, mijn vader is ziek, lichtelijk gehandicapt, hij heeft buikpijn, denk ik', zei hij en hij riep: 'Vader, niet doen! Ga zitten!'

De burgemeester glimlachte en zei: 'Grappig.'

Sejjed liet de paal los. Hij hoestte een paar keer en bleef toen in een hoestbui steken.

Khan snelde naar de auto om zijn vaders drankje te halen.

Hij gaf hem een lepel hoestdrank en hielp hem om op de bank te gaan zitten.

Even later stonden ze weer buiten, terwijl zijn vader vrolijk een groot zwaar boek over Deventer onder zijn arm droeg en de burgemeester vanachter het raam lachend naar hen zwaaide.

Toen ze in de auto zaten, wilde Khan zijn vader met harde woorden berispen, maar hij deed het niet. Hij zweeg. Hij was zijn vader en hij was wie hij was.

Hij twijfelde of hij hem mee naar de roze buurt van Deventer zou nemen. Toch reed hij ernaartoe. Het was net donker geworden. Eerst kon hij de straat niet vinden. Toen herinnerde hij zich dat hij langs het spoor moest rijden.

De ramen waren allemaal open en de vrouwen stonden in het rode licht. Maar zijn vader had er geen oog voor, hij was in gedachten verzonken. Misschien had de hoestdrank hem een beetje slaperig gemaakt. Khan keerde de auto en reed nog een keer langs de ramen. Nee, zijn vader keek niet. Khan ging aan de kant van de weg tegenover de ramen staan en hoopte dat zijn vader naar de vrouwen zou kijken.

'Ik ga even weg!' zei hij. 'En ben zo terug, blijf hier zitten. Oké?'

'Dat is goed', zei zijn vader.

Voor de zekerheid deed hij de deur van de auto op slot, en ging een café binnen om te kijken of er voor zijn vader iets te beleven viel. Met opzet deed hij er wat langer over. Toen hij terugkwam, zag hij dat zijn vader zijn hoofd op de leuning van de stoel had gelegd en in slaap was gevallen. Hij startte de auto en reed terug naar huis, terwijl een vrouw vanachter het raam hem naar binnen probeerde te lokken.

's Nachts hoestte Sejjed een paar keer lang achter elkaar, zodat Khan zich zorgen begon te maken. Maar na een poosje was het weer stil.

's Morgens toen iedereen aan het ontbijt zat, kwam zijn vader niet naar beneden. Anneke bracht de kinderen naar school en toen ze terug was, was hij nog niet wakker.

Khan snelde naar boven.

'Vader', riep hij vanachter de deur.

Geen antwoord.

'Vader, bent u wakker?'

Geen antwoord.

Hij deed de deur open en ging naar binnen. Zijn vader lag stil in bed. Khan schrok, trok de dekens met een ruk opzij en keek naar hem. Hij sliep vredig. Khan dacht dat hij dood was, maar hij ademde nog.

'Vader!' probeerde hij hem wakker te schudden. Maar hij bewoog niet. 'Vader!'

Geen reactie.

'Anneke!' riep hij met een brok in zijn keel.

'Hij ademt, maar hij wordt niet wakker.'

'Bel de dokter!'

Op dat moment zag Khan het hoestdrankflesje leeg op het nachtkastje staan.

'Hij heeft alles in één keer opgedronken.'

Pas tegen de middag werd zijn vader wakker. Hij nam een douche, schoor zich, kamde zijn haar en kwam glimlachend naar beneden.

Khan schudde lachend zijn hoofd.

'Waar zijn de kinderen?' riep Sejjed.

'Op school', zei Anneke.

'Hebben ze geen zomervakantie in Nederland?'
'Jawel, nog een paar dagen. Dan zijn ze vrij.'

Toen de zomervakantie begon, bleven de kinderen thuis.
Het was warm. Sejjed kon niet goed tegen de Hollandse
warmte; hij kreeg het benauwd en wilde liever thuisblijven.
Dat kwam goed uit. De hele dag speelde hij met de kinderen. Hij keek met hen naar de tv, luisterde naar hun muziek
en zij reden op zijn rug van de ene kamer naar de andere.
Khan had een paar Perzische videofilms voor hem gekocht. 's Avonds als de kinderen naar bed gingen en Anneke
even bij haar ouders in Heino langsging, zette Khan een van
die films op en ging naast zijn vader zitten.

'Zullen we vanmiddag gaan zwemmen? Dat is leuk voor de
kinderen en goed voor jullie grootvader, want die heeft de
hele week binnen gezeten.'
De kinderen pakten hun zwemspullen. Khan deed een
paar klapstoeltjes achter in de auto, Anneke nam een mand
vol eten en drank mee en zo reden ze naar de Wythemer-
plas.
Het was druk, maar ze konden een mooie plek onder de
bomen vinden. De kinderen gingen meteen het water in.
Anneke pakte haar boek en begon te lezen.
Khan bleef naast zijn vader in de schaduw zitten.
'Vindt u het leuk?' vroeg hij.
'Ja, leuk', zei zijn vader. Hij deed zijn hoed af en legde hem
op zijn schoot.
'De zon heeft hier een totaal andere betekenis dan in ons
land. Wij vluchten voor de zon. Hier rennen mensen naar de
zon toe.'
Hij sprak eigenlijk tegen zichzelf, want zijn vader luis-
terde niet naar hem; hij keek naar de mensen, vooral naar

de vrouwen die het water in gingen.

'Kom! Laat we een rondje gaan wandelen', zei hij en hij pakte zijn vader bij zijn arm.

Khan merkte dat zijn vader van plezier glom. Hij keek rustig en beheerst en deed alsof het de normaalste zaak van de wereld was. Maar Khan wist dat hij dit alles niet verwachtte.

Aan de andere kant van het meer, waar het rustiger was en waar geen kinderen liepen, hoorde hij achter de hoge bosjes stemmen. Hij keek wie het waren. Tien, twintig mannen en vrouwen lagen stil in de zon. Het leek alsof ze allemaal dood waren. Khan lachte zachtjes en gebaarde naar zijn vader: 'Kom eens kijken!'

Sejjed keek voorzichtig naar de naakte mannen en vrouwen.

Op dat moment kwam een van hen, een oudere vrouw, overeind. Haar oude, magere borsten hingen op haar buik. Ze ging het water in. Daarna een jonge blonde vrouw. Ze had een mooi lichaam en liep rustig naar het water toe. Maar ze ging het water niet in; ze spetterde wat water tegen haar lichaam en keerde terug.

Khan trok zijn vader weg van de bosjes en zwijgend liepen ze door.

Maandag was het weer een warme dag. Khan ging vroeg naar zijn werk om 's middags wat eerder thuis te komen.

Tegen de middag belde hij even naar huis: 'Is alles goed?'

'Ja hoor!'

'En mijn vader?'

'Hij was even met de kinderen bezig en vroeg net of hij de film van gisteravond opnieuw mocht bekijken. Ik heb hem een zakje chips gegeven en hij ging zitten kijken. Nu heb ik ze allemaal naar buiten gestuurd. Kom maar iets eerder thuis, ik ga zo boodschappen doen.'

34

'Oké, ik zie wel.'

Tegen drie uur belde Anneke naar de winkel.

'De kinderen zijn al lang terug, maar je vader niet.'

'Wat?'

'Ik heb overal naar hem gezocht, maar hij is nergens te vinden. Ik ben bang dat hij verdwaald is.'

Khan stapte meteen in zijn auto en reed naar huis.

'Is hij terug?'

'Nee!'

Hij pakte zijn fiets en reed naar de weilanden in de richting van de dijk. Hij keek in de grachten, fietste tot aan de veerpont en vroeg aan de man die naast de boot stond of hij ergens een oude man met hoed had zien wandelen.

Nee, hij had niemand gezien.

Khan nam een andere route en keek onder de bomen of hij misschien gevallen was, of misschien naar vaderlands gebruik in de schaduw van een boom een dutje deed.

Nee, hij lag nergens onder een boom.

Hij keerde snel terug naar huis.

'Is hij er al?'

'Nee!'

'Wat dom. Hij heeft geen adres, ook geen telefoonnummer van ons bij zich. Ik had hem mijn kaartje moeten geven.

'Bel de politie.'

Het duurde even voor hij de juiste persoon aan de lijn kreeg.

'Ja, ja, ja, mijn vader, hij is mijn vader, nee, hij spreekt geen Nederlands. Ja, ik kom zo. Waar precies? Ik weet het, naast het Weezenlanden Ziekenhuis. Ik kom!'

Een politiechef in uniform ontving hem.

'Khan, ben jij het. Is het jouw vader?'

'Bedankt hoor, hij was even gaan wandelen en blijkbaar is

hij verdwaald. Dom van mij; ik had ons telefoonnummer aan hem moeten geven.'

'Kom verder. Zo verdwaald was hij nou ook weer niet', zei de politiechef met een glimlach, maar Khan begreep hem niet.

'Waar is hij nu?'

'Ga zitten', zei de politieman. 'Ik heb geen goed nieuws voor je.'

Khan verbleekte.

'De politie heeft je vader uit de sloot gevist.'

'Gevist? Is er iets met hem gebeurd?'

'Nee, hij is oké. We kregen diverse telefoontjes binnen. Men had het steeds over een man in de sloot. Ik stuurde er een paar agenten op af. En die zagen een man in de sloot spartelen, naakt.'

Khan leunde tegen de stoel. Hij was sprakeloos.

'Alle klachten die we binnenkregen, gingen over een vreemde oude man, helemaal naakt, maar met een hoed op, die de sloot in ging en toen in de zon ging liggen. Dat is strafbaar. Zulke dingen doen we niet in het openbaar. Hooguit in een plas achter de bosjes, maar niet in een wijk waar kinderen spelen en vrouwen lopen. Het is verstoring van de openbare orde. En strafbaar.'

'Ik, ik, wat, wat, ik moet zeggen, is het dat... ja, weet u, het is mijn schuld, hij is een beetje zwakbegaafd. En ja, wat moet ik zeggen. Sorry. Neem het mijn vader niet kwalijk. Hij is, hij is eigenlijk nog een kind.'

'Oké, ik ken jou, je bent een keurige man, die zich goed aangepast heeft, maar het moet voor je vader duidelijk zijn dat wat hij gedaan heeft strafbaar is. Zulke dingen kunnen niet in onze samenleving.'

'Ik, ik begrijp u volkomen. Ik zal het heel duidelijk tegen hem zeggen en hem beter in de gaten houden. Hij gaat volgende week ook al weer weg. Hier, ik heb net zijn vlieg-ticket binnengekregen.'

De politiechef pakte de telefoon, draaide een nummer: 'Breng hem hier!'

De deur ging open en een agent bracht Sejjed naar binnen. Hij had zijn hoed op en er zat overal modder op zijn kleren.

'Vertaal wat ik zeg', zei de politiechef tegen Khan.

'Het is verboden wat je gedaan hebt', zei de chef hardop tegen Sejjed.

Khan vertaalde het.

'Kijk me aan!' riep de chef.

Khan vertaalde het.

'Snap je wat ik bedoel?' riep de chef. 'Ik kan je in de cel zetten, maar ik doe het niet om je zoon. Begrijp je?'

In de auto wilde Khan hardop huilen. Hij wilde zijn vuist tegen het stuur slaan en tegen zijn vader schreeuwen: 'Waarom breng je me iedere keer in verlegenheid?' Maar hij beheerste zich.

'Waarom duurde het zo lang?' vroeg Anneke bezorgd.

'Help me Anneke. Ik ben zo woedend dat ik bang ben iets verkeerds te doen. Breng hem weg. Laat hem in bad gaan.'

'Rustig maar!'

Hij stuurde zijn vader naar de badkamer en vertelde in het kort wat er gebeurd was.

'O, mijn god!'

'Anneke, je weet niet hoe die politiechef me aansprak. Je weet niet half hoeveel pijn het deed zijn woorden voor mijn vader te vertalen.'

Anneke veegde haar tranen weg.

De volgende dag toen Khan naar zijn werk wilde gaan, kuste Anneke hem en zei: 'Maak je er nou maar niet zo druk over. Recht je rug en doe alsof er niets gebeurd is.'

'Oké, dank je. Ik voel me al beter.'

Tot één uur 's middags ging alles goed, thuis was alles rustig en in de winkel verkocht hij een paar dure tapijten. Zijn pijn werd verzacht. Maar om één uur belde Anneke: 'Heb je de *Zwolse Courant* gezien?'

'Hoezo?'

'Je vader staat erin. Op de voorpagina.'

Khan zakte weg in zijn stoel. Hij kon zich wel voorstellen wat er in de krant stond. Hij wilde naar boekhandel Waanders om een krant te halen, maar hij durfde de winkel niet uit te gaan.

De telefoon ging. Een vriend, een landgenoot, de restauranthouder tegenover cinema De Kroon.

'Heb je hem gezien?'

'Nee, ik durf de winkel niet uit.'

'Ik kom zo, ik breng hem wel even. Wees voorbereid, vreselijk!'

Toen Khan even later de krant bekeek, zag hij een grote foto van zijn vader, met blote billen en met een hoed op. Eronder stond: 'Ongekend tafereel in Zwolle-Zuid. De vader van tapijthandelaar K. werd door een politieteam uit de sloot gevist.' Thuis kon Khan zijn woede niet langer beheersen; hij gooide de krant voor zijn vader neer en riep: 'Kijk! Kijk wat je gedaan hebt!'

Anneke stuurde de kinderen onmiddellijk naar hun kamer en waarschuwde Khan: 'Beheers je! Later krijg je er spijt van!'

Khan sloeg met zijn vuist hard op de tafel en wilde het uitschreeuwen. Maar hij zag dat zijn vader huilde.

'Sorry, vader', zei hij en hij ging naar boven.

Boven in de badkamer voor de spiegel. Toen hij zich beter voelde, waste hij zijn gezicht en ging naar Anneke.

'Ik ben blij dat je niets verkeerds hebt gedaan', zei Anneke tegen hem. 'Pas nu begrijp ik waarom je hem hier niet naartoe wilde laten komen. Je had gelijk. Maar je hoeft je niet voor zijn gedrag te schamen. Ik doe dat ook niet, echt niet. Jij zegt altijd tegen mij: "dit gaat ook wel weer voorbij", dus ook dit gaat voorbij.'

Zaterdagochtend hielp Khan zijn vader in zijn nieuwe kleren. Hij knoopte een van zijn eigen dassen om zijn nek. Hij schoor hem met zijn eigen scheerapparaat, liet zijn snor weer staan, deed wat gel in zijn haar en kamde zijn haar schuin naar rechts.

'Anneke, kom eens kijken', riep hij.

'Hé, kijk, hij lijkt op jou', zei Anneke. 'Zo vader, zo zoon: allebei gekke mannen.'

Ze stapten allemaal de auto in en reden naar Heino. De ouders van Anneke woonden net buiten Heino op een grote boerderij, waar een paard langs de wetering galoppeerde en een paar trekkers op het veld stonden. De kippen liepen rond en twee forse honden hielden alles in de gaten. Ze sprongen een paar keer om Sejjed heen, snuffelden aan hem en renden toen weg.

Toen ze samen koffiedronken, startte Khan een van de trekkers en riep zijn vader om naast hem te komen zitten. Hij reed een paar keer met hem over de akkers en vertelde hem hoe de machine werkte. Khan stopte de trekker en hielp zijn vader uitstappen. Hij liep naar de kinderen die op de pony's reden.

Khan keek vanaf de tractor naar de kinderen, naar zijn vader, naar Anneke die met haar moeder op de veranda stond te praten. De zon scheen zacht en de wereld zag er vredig uit. Khan voelde dat hij toch gelukkig was en blij dat hij zijn vader had laten komen. Zo loopt het leven, zei hij tegen zichzelf, hij stapte uit en liep naar zijn schoonvader die het hek aan het repareren was.

's Middags waren Khan en Anneke bezig de barbecue aan te steken. Khan wilde net als altijd de kebab op de Perzische manier maken en Anneke zorgde voor brood, tomaten en kruiden die ze speciaal had meegenomen.

'Waar is je vader?' zei Anneke.

'Met de kinderen bij de pony.'

'Daar is hij niet.'

Khan keek naar de kinderen, zijn vader was niet bij hen.

'Dan is hij aan het wandelen.'

De barbecue rookte, de vader van Anneke was klaar met het hek. De kinderen hadden genoeg van de pony, ze hadden dorst, renden naar de keuken. De moeder van Anneke hielp hen hun handen wassen.

'Waar is je vader?'

'Daarachter. Hij kijkt naar de appelbomen.'

De tafel was gedekt, de kinderen gingen zitten, de moeder van Anneke zette een kan water op tafel. Haar vader waste zijn handen en pakte een paar flesjes bier.

'Je vader heeft toch geen bezwaar als we...'

'Nee hoor. Nee, helemaal niet. Vraag jij hem, misschien wil hij ook een glaasje drinken.'

Anneke keek naar de appelbomen in de verte waar de honden onrustig blaften.

'Khan!' zei ze zacht maar dwingend. 'Je vader.'

Khan draaide zich om en rende naar de bomen. Anneke nam de kinderen mee naar binnen. Khan keek naar zijn vader die onder de beschutting van een appelboom gevallen was. Hij leek te slapen op zijn zij, met zijn hand onder zijn hoofd. Maar zonder te ademen.

Abdelkader Benali

Een dag in mei

Ik ben geboren op een dag in mei. Maar de wereld was nog niet klaar voor mij. Ik gleed er gemakkelijk doorheen zonder me ergens aan te binden of zonder ergens in verstrengeld te raken. Niet omdat ik er geen talent voor had, maar omdat de schikgodinnen een moment hadden gekozen waarop ze me, hard en helder, mijn lotsbestemming zouden aanwijzen. Tot die tijd was ik gedoemd door te modderen. Nou, modderen; ik genoot wel. Ik was blij met alle autootjes en uitstapjes. Ik ontwikkelde me van jongs af aan als iemand die voorbestemd was het goede te doen en het kwade te laten.

Althans, dat was mijn verwachting, want ik werd al die tijd niet één keer op de proef gesteld. En wie niet op de proef wordt gesteld, brengt zijn tijd door als nietsnut in een café ergens tegen een hoek geplakt met een doodgeslagen biertje in zijn hand.

Mijn dertigste jaar naderde en ik wist niet zo goed of ik een nietsnut was of een held in wording. Er moest iets zijn, iets ongrijpbaars dat binnen in mij woelde totdat het juiste ogenblik aanbrak om naar buiten te treden. Wanneer? Daarover had ik geen zeggenschap. Maar als je zo leeft, ben je altijd alert op voortekenen die het ogenblik aankondigen. En dan komt het toch nog onverwacht.

Mijn vader belde met de vraag of ik de zaak kan overnemen, maar ik heb nog nooit een schaar vastgehouden.

Vandaag telde ik het achtste opgedroogde lieveheersbeest. Hoe ze het huis in komen is me een raadsel. Hoe ze daarna verpieteren bij gebrek aan planten en opdrogen, heeft me echter niet koud gelaten. Als een soort van overbodig ritueel heb ik ze alle acht op de vensterbank gelegd alsof het een familie betreft die post mortem op zoek was naar hereniging. Ik voorzie een droog voorjaar met weinig regen en aanhoudende zon. Mijn buren denken daar anders over, afgaande op hun eindeloze driftige gesprekken die ik perfect kan volgen.

Het is alsof ze op elkaar alles loslaten wat ze in de buitenwereld niet kunnen ventileren. Vorige week brak de vrouw des huizes in een dronken bui een bord, waarna haar man de scherven begon op te rapen. Ze schold hem uit voor 'nietsnut' en 'slappeling', maar iemand die zo snel andermans scherven bij elkaar raapt, kan je toch niet echt een 'nietsnut' noemen. In plaats van dankbaar te zijn, bestookte ze hem met de scherven.

Ik heb mijn ouders nooit iets zien vernielen. Ze gingen zo voorzichtig met de dingen om, of zo voorzichtig gingen de dingen met hen om, dat ik me niet kan herinneren dat er een bord, glas of ander huisraad aan gruzelementen is gegaan.

Sinds ik heb besloten niet meer met mijn vader te praten – vlak na de dood van mijn moeder – is de tijd snel gegaan. Ik heb met boeken gesproken, al weet ik niet zeker of ik altijd wel de juiste taal met ze sprak en of ze bij mij wel een juist gehoor vonden.

We zijn het praten verleerd, het enige ritueel dat ons ter beschikking stond. Zelfs die strohalm heb ik om zeep geholpen. Er was ook weinig te bespreken met mijn vader. Hij hield net zomin van voetbal als ik. We schaakten niet. Schaken kan heel goed dienen als middel voor het onvermijdelijke vader-zoongesprek. Maar we schaakten niet. Ik had geen opwindende vriendinnen die ik aan hem kon voorstellen. Hij zou ze toch niet hebben willen zien. Hij vond dat ik pas met een vrouw moest thuiskomen als ik haar als bruid had verkozen.

En nu heeft hij gevraagd of ik de zaak wil overnemen.

Er zit een knoop in me die nooit heeft kunnen loskomen bij gebrek aan oefening. Nu in sneltreinvaart de boel ontgrendelen leidt tot misverstanden.

Ik zou naar hem willen luisteren, alleen luisteren. Maar hij is niet in de juiste stemming. Er moet nu gehandeld worden. Door de telefoon dicteert hij de opdrachten.

'Ik heb je voor één keer nodig, dus hang niet de nietsnut uit.'

'Geen probleem, vader.'

'Probeer goed naar me te luisteren. Het is maar een kleine opdracht.'

'Oké.' Hij wil antwoorden. Hij wil op me kunnen rekenen, hij vraagt me af of ik zijn administratie kan overnemen. Zijn leven lang heeft hij in een nooit gebruikte fonduepan zijn bonnetjes verzameld. De fonduepan was zijn boekhouding.

Hij vraagt of ik de scharen en tondeuses kan vernieuwen en of ik in staat ben (dus verplicht ben) vanaf volgende week maandag met de sleutel in de hand de zaak nieuw leven in te blazen.

'En nog een ding!'

'Ja?'

'Als ik sterf...'

'Ja?'

Het blijft even stil aan de andere kant van lijn.

'Laat me dan in Marokko begraven. Op de plaats waar je moeder ligt. Ik weet dat ze zullen proberen dat tegen te houden, maar probeer het.'

'Ja, vader.'

'Beloof je dat?'

'Natuurlijk.'

'Kan je niets beters zeggen? Ik wil overtuiging in je stem horen.'

Aan de andere kant van de lijn breng ik mijn hand naar mijn hoofd.

'Jawohl.'

'Wat zei je?'

'Ik zal je in Marokko laten begraven.' Al moet ik er zelf bij komen liggen, dacht ik en we hingen op.

Hij heeft het aan zijn handen gekregen, een opdoffer is het voor hem geweest. Artritis of zoiets. Niet ongewoon voor een kapper. Ik heb altijd bewondering gehad voor de manier waarop hij met zijn metier omging. Hij is bij toeval kapper geworden. Hij had, met een beetje geluk, ook tot zakenman kunnen uitgroeien of tot misdadiger, maar kapper was het hoogste dat het lot voor hem over had.

Hij heeft natuurlijk al die hoofden niet geteld. Honderdduizend moeten het er zijn, als je uitgaat van vijf klanten per dag, zes dagen in de week, en dat vermenigvuldigt met vijftig weken, en dat maal veertig jaar, kom ik aan zestigduizend. Maar omdat dat getal me zo laag in de oren klinkt, onbestaanbaar dat mijn vader maar zestigduizend hoofden heeft vastgehouden, naar de spiegel heeft gericht, links en rechts heeft bijgeknipt, maak ik er honderdduizend van. Een rond en sterk getal. Zestigduizend spreekt niet tot de verbeelding. Dat is ongrijpbaar en lauw.

Mijn vader heeft zich het kappersvak zelf aangeleerd en toen hij het knippen onder de knie had, was het te laat voor iets anders. Hij was gedoemd kapper te blijven, al heb ik hem daar nooit over horen klagen. Ik zag hem, zoals ik jaren later een Rus zag doen, op een lentedag met zijn hand over een blaadje van de heg strelen bij ons in de straat. Hij nam het blaadje in zijn vinger, en streek het glad, vouwde het samen en rook eraan alsof het een roos was. De Rus deed precies hetzelfde. Niet lang daarna was hij dood.

Mijn vader leeft nog. Zijn handen zijn ziek. Die vingers hebben te veel aangeraakt, het is goed dat ze gaan rusten. Ik heb mijn vader nooit over die Rus verteld.

Midden in de nacht gaat de telefoon. Dat wil niets zeggen. Ik reageer dan ook niet. Er gaan zoveel telefoons midden in de nacht en waarom zou deze een onheilstijding moeten brengen?

Er zijn nogal wat mensen die mijn nummer als eerste op de lijst in hun mobiel hebben staan.

Nachtbrakers roeren vaak in hun zakken en drukken dan op het knopje van hun telefoon. Als ik opneem, hoor ik vaak niets anders dan een ruis aan de andere kant of stemmen in een overvol café of een gesprek tussen twee mensen waarvan ik de een ken en de ander vaak niet. Een keer heb ik mensen horen vrijen.

Ik heb er geen zin in en het is mijn zaak niet. Het geluid van een telefoon maakt me bovendien onzeker. Rusteloos.

Mijn vader heeft me praktisch alleen opgevoed, iets wat hem makkelijk afging, mij opvoeden. Van mijn moeder herinner ik me dat ze me goedenacht kuste en er de volgende ochtend niet meer was.

Hij zag mijn opvoeding niet als een grote klus. Bovendien had hij zijn helpers. De kapperszaak eiste veel tijd op en zijn verdriet denk ik ook. Een verdriet dat ik nooit heb gezien. Waar waren zijn tranen? Waar was zijn gehuil, waarom vertelde hij me nooit over mijn moeder?

We hadden buren die een handje toestaken en hij had een vast hulpje dat voor hem insprong als hij met mij ergens naartoe moest. Het is in een vloek en een zucht gegaan dat opvoeden door mijn vader. Voor mijn moeder is nooit iemand in de plaats gekomen. 'Het plezier was vertrokken uit jullie huis', zei de buurvrouw die ik beschouwde als mijn tweede moeder. Zij hielp me aan nieuwe kleding. Zij stond geduldig buiten het pashokje te wachten wanneer ik mezelf onhandig in een spijkerbroek manoeuvreerde.

'Gaat alles goed daar?'

'Ja', zei ik, de dag vervloekend dat de mens kleding ging dragen. Twee keer per jaar kochten we kleding, alles in één keer.

Schoenen, broek, overhemd, T-shirts, sokken en handschoenen voor als het koud werd buiten. We kochten alles bij Hans Textiel totdat ik begreep dat Hans Textiel niet iets was waarmee je op school kon verschijnen.

'De dood zal komen en van ons allen gieren maken', zei de buurvrouw als iets haar niet zinde. Ze had veel zwarte gedachten, maar toch hield ik van niemand meer dan van haar. Alles wat ze zei, leek wel voor mij gemaakt. Zo slecht als de kleding me paste (ik had geen confectiematen; ze noemden me de garnaal), zo passend waren haar woorden.

De telefoon gaat weer. Nu neem ik op. Het is mijn vader.

'Mijn handen zijn gestorven', zegt hij. Alleen door de telefoon kan hij zo krachtig praten. Nu bedenk ik dat ik misschien daarom zo huiverig ben om de telefoon op te nemen.

'Bij sommigen sterft de rug het eerst, bij anderen de voeten, naargelang het werk dat ze hebben gedaan. Bij mij zijn het de handen. Vanzelfsprekend, ik heb ze gebruikt als hoeren. Twee dikke, zoete handige hoeren die alles met het haar deden wat het haar wilde.'

Als mijn vader dit zegt, verander ik in iets kleins, in iets ver weg. Ik luister en doe er goed aan niet te reageren; zo kan hij zeggen wat hij wil en zo kan ik horen wat ik wil.

Erop reageren zou het evenwicht dat we hebben maar onnodig vertroebelen. Ik hou niet van transparantie, ik hou niet van de waarheid zeggen ten koste van alles; dat laat ik over aan hen die er minder wroeging aan overhouden. Ik hou mezelf levend door geheimen te koesteren. Zo hebben mijn vader en ik ons leven geleid. Hij zijn geheim, zijn minnaressen, zijn uitstapjes met vrouwen die smoezelig naar me keken, alsof ze me er ook nog bij konden hebben. En ik met mijn geheimen. Mijn vriendjes, mijn uitstapjes.

Ik hou niet van zieligheid, en zolang mijn vader praat is de wereld niet zielig maar nog altijd beloftevol met een deur naar een volgend ogenblik. Zo wil ik mijn vader onthouden: als een man die zei dat zijn handen als eerste stierven, niet als iemand aan wie ik heb gevraagd of hij wel begrijpt dat hij voor het eerst met zijn zoon over andere vrouwen praat.

Als ik op maandag voor de deur sta, weet ik dat er een assistent zal komen om de mensen te knippen. Dat mijn vader ervan uitgaat dat ik niet kan knippen vind ik heel redelijk van hem. Het is verstandig dat hij voor een assistent heeft gezorgd. Toch ben ik verwonderd als ik de assistent al in de zaak zie staan. Hij is erg harig en heeft een korte rug die over de kappersstoel gebogen lijkt. Als ik beter kijk, zie ik dat de assistent op de kappersstoel zit. Het mannetje moet iets meer dan één meter groot zijn, maar door zijn gebogen houding kan ik dat niet goed schatten. Toch is het geen lilliputter, daarvoor zijn z'n oren te groot. De assistent draait zich naar me om en lacht breed, toont zijn brokkelige tanden die verdwijnen in vurig rood vlees. In zijn hand heeft hij een schaar. Ik groet hem en hang mijn jas op. Ik weet even niets te zeggen. Ik vraag mijn vader wat ik moet doen.

'De klanten tellen, de kas opmaken en opletten dat de assistent altijd bij de oren de haartjes er afknipt, want dat kan hij weleens vergeten in zijn enthousiasme. Hij praat graag.' Mijn vader zegt dat een vriend hem de assistent heeft aanbevolen. Dan gaat hij weg. 'Ik kom vanmiddag terug.'

Ik ga zitten en weet niets beters te doen dan te wachten. Ik besef dat het voor mijn vader belangrijk is dat ik er ben, hoeveel klanten er zullen komen kan hem niet echt schelen. Ik moet hier gewoon zitten, de honneurs waarnemen en opletten dat er niemand doorloopt omdat hij denkt dat de zaak gesloten is. Een gesloten zaak zou mijn vader als een vernedering ervaren, daarom zit ik hier nu, om hem de vernedering te besparen.

Even later loopt de buurvrouw binnen. 'Dit is toch wel het minste wat je voor hem kunt doen', zegt ze. 'Het gaat steeds slechter met hem. Heeft hij nog andere familie?'

'Niet dat ik weet', zeg ik. 'Toen mijn moeder nog leefde kwam er veel volk over de vloer. Rare types, maar als kind vond ik ze geweldig. Dat is in de loop der jaren steeds minder geworden. Mijn moeder onderhield de contacten. Hij knipte.'

'Sprak hij nooit over je familie?'

'Ja, soms, alleen maar negatief. Dat ze dit en dat niet deden, dat ze om geld vroegen en verder niets. Pas veel later begon hij zich af te vragen of deze of gene nog in leven was.'

'Je vader is moe. Moe van het knippen.'

'Maar hij heeft een mooi leven gehad,' zeg ik strijdvaardig, 'hij was altijd in de weer en heeft nooit om hulp hoeven bedelen en ik heb het goed gehad.'

'Je bent zijn zoon.'

'De enige', zeg ik.

'Hij wilde er meer. Zeven. Hij had de namen klaarliggen, heeft je moeder me een keer verteld.'

Ik zwijg. De assistent is niet alleen harig, klein en lelijk, hij heeft ook rare trekjes. Hij springt voortdurend heen en weer en kijkt me met glazige ogen via de spiegel aan. Ik weet niet of ik wel een gesprek met hem kan beginnen. Hij moet zich concentreren op de eerste klant die zich aandient.

Na een uur schuifelt een man naar binnen. Ondanks zijn dikke bril ziet hij slecht. Bijna op de tast vindt hij de kappersstoel. Hij gaat zitten, zegt iets tegen de assistent en voor ik het weet, hangt er een slabbetje om zijn nek en wast de assistent het haar van de man. Voor zijn lengte is hij erg handig. Hij springt bij de wasbak op en neer alsof hij op een trampoline staat. Daarna knipt en scheert hij de man in een onnavolgbaar snel tempo. De slechtziende klant kijkt plichtmatig in de spiegel en knikt dat het goed is.

Ik neem het geld in ontvangst. 'Dat is goed gegaan', zeg ik tegen de assistent. 'Je hebt vaker met dat bijltje gehakt. En wat een sprongkracht zit er in die beentjes.'

De assistent kijkt uit het raam. Woorden zeggen hem

niets, nieuwe klanten daar gaat het om.

Ik ben tevreden. Mijn vader kan ook tevreden zijn. Moeders mooiste is de kleine man niet, maar knippen kan hij.

Er komt een man binnen met een haardos die nog geen beurt nodig heeft.

Zijn gezicht staat serieus. Het is zo iemand die in het weekend de vlotte jongen uithangt, hier en daar een glaasje drinkt, maar doordeweeks zijn gezicht in de plooi houdt.

'Ik kom met een bericht', zegt hij. Nu zie ik dat zijn gezicht deel van zijn beroep is. Dit is een onheilsbode.

'Mijn vader is overleden.'

'Ja', zegt hij. 'Hoe weet u dat?'

'Dat zag ik aan die rotkop van u.'

'En wat gaan we nu doen?'

'We gaan hem begraven', zeg ik.

'Niet cremeren?'

'Nee.'

'Als uw vader nooit een voorkeur heeft uitgesproken, zou ik cremeren in overweging nemen.'

'Omdat het beter is voor het milieu?'

'Het heeft niet te maken met rationele overwegingen, alhoewel sommige mensen rationele overwegingen in acht nemen om tot de keuze voor crematie te komen.' Het gaat dus toch om rationele overwegingen.

'Ik wil hem niet begraven en ook niet cremeren', zeg ik. 'De ratio zegt me niets. De ratio is een gat in mijn hoofd. Ik doe hem niet weg.'

'U bent geschokt en dan zegt de mens dingen waar hij later spijt van heeft. Zoals van die rotkop. Dat meende u niet. Laat me zo terugkomen, al kan ik niet te lang wachten. Uw vader moet opgebaard worden en daarvoor staat een bepaalde tijd.'

'Dat wil ik niet', zeg ik.

'Wat wilt u dan?'

'Ik wil hem thuis houden.'

'Voor hoe lang? U weet dat we wetten hebben die voorschrijven dat een lichaam binnen een bepaalde periode wordt begraven of gecremeerd.'

'Jij met je "bepaalde periode". Die wet is niet voor mij gemaakt.'

'U bent toch ook inwoner van dit land?'

'Maar wie zegt dat mijn vader begraven wil worden?'

'Dus toch crematie?'

'Crematie, begrafenis, kan mij niks schelen. Ik wil mijn vader zien. Met mijn vader zijn.' De assistent kijkt naar de begrafenisondernemer met een boze blik. De kleine begrijpt het.

'Ik zit in dat café op de hoek. Als u wilt, kunnen we daar verder praten.' En zonder mijn antwoord af te wachten loopt hij weg.

In het café is het alsof we niet bestaan, althans, het duurt een tijdje voordat er iets op tafel wordt gezet.

'De vijf is nog niet in de klok,' zegt de man, 'maar wat moet, dat moet', en hij giet zijn jenever – of wat het ook is – naar binnen. Hij veegt met de rug van zijn hand over zijn lippen. 'Zo, die smaakt.'

Ik vind hem steeds afzichtelijker worden, deze man, nu hij zo schaamteloos laat zien uit wat voor hout hij is gesneden. Iemand zoals hij kan toch mijn vader niet begraven?

'Ik begrijp uw verdriet,' zegt hij, 'maar u moet niet al te lang hier blijven. Moet u niet de familie bellen of kennissen? Een bericht de deur uit laten gaan?'

'Hij zei dat ik op de kapperszaak moest letten. Iets anders zei hij niet.'

'U bent een beetje een rare,' zegt hij, 'en die kapper in de winkel zag er ook raar uit.'

'Wie bent u om dat te zeggen?'

'Ik zit al meer dan vijfentwintig jaar in het vak. Ik heb heel wat vreemde gasten gezien en u hoort in de top vijf.'

'Denk maar niet dat ik dit drankje ga betalen voor u.'

'Niets hoeft, zolang u maar instemt met crematie. U krijgt tien procent korting.'

Het wordt tijd dat ik de waarheid vertel. Ik zal dat uitgestreken gezicht laten schrikken.

'Mijn vader wilde in zijn vaderland begraven worden.' Mijn stem klinkt standvastig. Vader kan tevreden zijn. Nergens anders zou hij begraven kunnen worden dan op dezelfde plek waar ook mijn moeder ligt.

'Heeft u dat op papier staan?'

'Mijn vader was geen man van papieren.'

'Een mondelinge verklaring is natuurlijk ook geldig, maar met een papiertje zijn we wat sneller klaar en, in elk geval, dit moet snel gebeuren.'

Waarom haast maken met iemand die dood is, denk ik, en ik zie die lieveheersbeestjes voor me. Konden we de doden maar op kamertemperatuur houden totdat de hele familie overleden is en ze mooi in een rijtje passen.

'Weet u wel wat u is overkomen', zegt de man.

'Mijn vader is overleden.'

'U bent er nochtans heel rustig onder.'

'Wat zou ik dan moeten doen?'

'Heeft u geen gevoelens?'

Hij kijkt me nu heel listig aan. 'U heeft uw vader toch niet een of ander goedje toegediend zodat hij wat eerder...?'

Ik vraag om de rekening.

'Ik moet terug naar mijn assistent; we gaan zo sluiten.'

'U moet zo snel mogelijk naar huis, uw verantwoordelijkheid nemen en ons opdragen hem op te baren voor de laatste eer.'

'En als ik dat niet doe?'

'Dan heeft u een probleem.'

'U heeft een probleem.' De man achter de bar brengt de rekening, ik leg geld op tafel en sta op.

'Waar gaat u heen?'

'Weg.' En ik loop het café uit.

De assistent heeft inmiddels zijn jasje aangetrokken. Er was niemand langsgekomen in de tussentijd.

'Dat was het dan', zeg ik tegen hem en ik stop een bedrag in zijn handen.

'Morgen is een vrije dag.' Hij loopt weg zonder iets te zeggen. Hij ziet eruit als een eerlijk man. Mijn vader heeft altijd oog gehad voor eerlijke mensen.

De buurvrouw staat op me te wachten. Ze is zwaar opgemaakt, alsof ze zich na de opwinding flink wil laten gaan. En voor het eerst zie ik dat al die goedheid en beminnelijkheid een maniertje was. Het is patina waarmee ze heeft geprobeerd eerst mijn vader en toen mij te verleiden. Nee, onzin.

'Waar was je nou?' zegt ze. 'Hij ligt in de kamer. Ze hebben hem opgebaard. Bel maar snel een paar mensen.'

'Nee,' zeg ik, 'hij wil niemand ontvangen.'

'Dat kun je niet maken. Er zijn nog mensen die afscheid van hem willen nemen.'

Hij moet terug naar zijn vaderland, denk ik. Ik moet hem laten weghalen en naar het vliegveld laten brengen. Daar weten ze er wel raad mee. Hoe langer hij hier blijft, hoe minder er van hem over is, straks daar.

'Waarom ben je zo ondankbaar?' zegt ze. 'Je mag je vader niet teleurstellen.'

'Ik stel niemand teleur.'

'Je vader had gewild dat er nog naar hem gekeken werd.' Het is niet waar.

Ze heeft het in haar hoofd gehaald, het is haar eigen fantasie.

Ik bel de begrafenisondernemer. Ik weet niet hoe ik dit soort zaken moet aanpakken. Het is dezelfde man.

'Komt u hem maar ophalen. Hij gaat vanavond nog weg.'

'Waar naartoe?'

'Naar het vliegveld, natuurlijk', zeg ik.

'Heeft u alles geregeld?'

'Ja, helemaal pico bello', zeg ik. Later laden ze hem in hun grijze wagen en we rijden naar het vliegveld. Ze brengen de kist naar de balie met de vluchten naar Marokko. Er staat een lange rij. 'Ik wil graag een ticket voor mijzelf en mijn vader', zeg ik tegen de balieassistente.

'Businessclass of economy?'

'Doe maar economy', zeg ik, want ik heb gehoord dat de business van Royal Air Maroc niet zo goed is.

'Dan moet u daar zijn', en ze wijst naar de balie.

'Voor twee personen?' vraagt de man achter de balie.

'Ja. Economy.'

'U heeft geluk dat er nog plaats is.'

'Prima', zeg ik en ik geef de paspoorten. Ik heb contant geld in mijn binnenzak.

'Waar is uw', hij werpt een blik op de foto, 'medepassagier?'

'Die kan helaas niet opstaan.'

'Waarom niet?'

'Hij kan niet opstaan. Hij is vanochtend gaan liggen en hij ligt nog steeds. Het is misschien kramp.' Levenskramp, denk ik.

'U kunt hem niet vragen even hiernaartoe te komen?'

'Nee, het is denk ik beter dat hij blijft liggen.'

'We hebben hem toch even nodig, al was het maar ter controle.'

'Hij kan niet opstaan', zeg ik.

'Waarom niet?'

'Hij is dood.' Het hoge woord is eruit.

'We vervoeren in principe geen doden.'

'Ik vervoer in principe ook geen doden. Er moet maar een uitzondering worden gemaakt.'

'Is hij een bekende van u?'

'Ze zeggen het. Het is mijn vader.'

'Dat verandert de zaak.'

In het vliegtuig krijg ik couscous en frisdrank. Ik vraag om rode wijn, maar dat hebben ze niet.

'Dan maar tomatensap.' Naast me zit een wat oudere man. Ik vertel dat ik samen met mijn vader reis en bij gebrek aan gespreksstof vertel ik hem dat hij dood is.

'Uw vader?'

'Ja.' Hij kijkt alsof hij het niet begrijpt.

'Vaders sterven ook', zeg ik.

We dommelen een beetje weg en landen op het vliegveld.

'Waar moet ik naartoe?' vraag ik aan de man bij de douane.

'Hoe bedoelt u?'

'Ik heb mijn vader meegenomen.'

'Waar is hij?' Ik wijs naar de kist aan het einde van de bagagehal. Het grijze ding past voor geen meter in deze omgeving. Het moet maar snel onder de grond verdwijnen.

'Wacht even', zegt de man en hij begint te bellen. Talloze telefoontjes die elkaar opvolgen.

Een taxi rijdt me naar het dorp waar mijn vader is geboren. Ik ben er meer dan vijfentwintig jaar niet geweest en had ook geen plannen om er terug te keren, maar onvoorziene omstandigheden leiden nu eenmaal tot dit soort uitstapjes. Buiten klinken de krekels en er komt een warme, frisse lucht binnen via het raampje. De man naast me rookt een sigaret. Hij heeft me er een aangeboden, maar ik vind het niet kies om met een kist op de achterbank te gaan roken.

We komen aan, de chauffeur dimt het licht, hangt zijn arm buiten het raam en zegt: 'Nu gaan we wachten. Er komt wel iemand.'

'Ik wil hem zo snel mogelijk begraven', zeg ik tegen het familielid dat de weg naar de chauffeur heeft gevonden. Hij kijkt me aan alsof ik de taal van de duivel spreek en misschien spreek ik die taal wel. Als de taal van de duivel me kan helpen mijn vader onder de grond te krijgen, dan zou ik hem spreken.

'We moeten wachten', zegt de man. 'Er moet voor hem gebeden worden.'

Zo lang als ik me kan herinneren heb ik mijn vader niet zien bidden, dus waarom moet er nu gebeden worden?

'Waarom bidden? Hij is dood. Er valt weinig meer te bidden.'

'Geloof je dan niet in Gods barmhartigheid?' vraagt hij. Het klinkt heel hard uit zijn mond. En in deze streek, bij deze duisternis, klinkt het ook als iets wat de mensen wel kunnen gebruiken. Barmhartigheid en een goede nacht-rust. Mijn familielid heeft van die doorlopen ogen die je krijgt als je ervan houdt bier en Johnny Walker te drinken en geen zier geeft om het oordeel van anderen als je alleen met je kameraden op een heuveltop je roes zit uit te dampen.

'Doe niet zo rebels', zegt de man, die de opstandige blik in mijn ogen ziet. Een blik zonder respect of geduld voor orde en traditie. Een blik die alleen tierlantijnen ziet, irrationeel gedrag, uitgeholde praktijken die de staat waarin het lichaam verkeert geen centimeter verder brengen.

Vierentwintig uur geleden had ik met een begrafenisonder-nemer een soortgelijk gesprek, maar toen beschuldigde hij me van precies het omgekeerde. Ik was een dwaas, iemand die het ritueel voorrang gaf boven efficiency, iemand met eigenaardige principes. De overeenkomst tussen de man-nen was dat ze beiden wel van een borrel hielden.

Ik moet die blik maar even opbergen, zo maak ik op uit de houding van deze man die ik niet ken en die zich heeft opgeworpen als de vertegenwoordiger van de gemeen-schap. En toch zijn we familie. Lieveheersbeesten. Hij lijkt zelfs een beetje op me, als ik de damp uit die ogen weg-denk.

En al hebben ze dan bij leven niets aan hem gehad – hij had mijn moeder hier begraven en was weer weggegaan zonder er veel woorden aan vuil te maken – als lijk is hij nog springlevend en goed te gebruiken. Ik ga bij de kist zitten en blijf daar totdat de zon doorkomt in het dal. Ik zie wat voor stenen landschap ik mezelf heb gebracht. Er komen steeds meer mensen bij me staan en sommigen zijn werkelijk verheugd me te zien om daarna in huilen uit te barsten als ze zien dat ik op de kist zit waarin mijn vader ligt. Ik huil niet.

Een paar uur later is hij begraven. Nadat er voor hem is gebeden, nadat iemand in de groep is voorgegaan, nadat het lichaam uit de kist is gehaald en verschoond en in witte doeken gewikkeld. Ik blijf achter bij het graf. Iemand probeert me over te halen wat te komen eten, maar ik weiger.

Ik blijf bij het graf totdat de laatste zonnestralen uit het dal zijn geglipt.

Als ik 's middags op die dag in mei terugkom om een laatste keer naar mijn vader te kijken, kan ik het graf niet meer vinden.

Halil Gür

Stalen hak

Ach, waar is mij jeugd gebleven!
We dachten: er komt geen einde aan.
Maar nu, ach moeder,
ga door, als je kunt, ga maar door.

Vroeger, in het dorp
kende ik de paarden goed,
de boomgaarden, de tuinen en de bergen
en de mensen kende ik,
arm maar eervol.
Ik was nog vrij jong
en stroomde onstuimig door de velden,
over de hellingen in de vlakten
als een rivier.

Ik was bang voor niemand,
had mijn opa's dolk onder mijn broekriem
en hing de stoere bink uit.

Nu lopen, gearmd met mij, de straten dood
en ik loop gearmd met de eenzaamheid.
Ik ben begraven onder de stilte van de nacht.
Ik leid het leven van een vleermuis.

Nu ben ik gewend aan de rook,
de rook van de sigaret in mijn hand.
Hier ver van huis is eenzaamheid troef
en de last der jaren
drukt op mijn schouders.

Nu geven artsen
mij nog maar kort te leven.
Het uur van scheiden is aangebroken, het gaat mis;
mijn hart verdraagt deze pijn niet meer.

Ik weet niet wat het is,
deze droefheid;
begrijp deze onrust niet. Zeg maar niets,
maar luister naar me, dat doet me goed.
Als het zo doorgaat, keer ik terug
in een doodkist.

De doodskist.
Ze zeggen dat hij op Schiphol
eerst op de lopende band gaat
naar het lijkenhuis daar
en dan het vliegtuig in.

O, mijn god!
Laat niemand in de handen vallen
van die man uit Yozgat,
een nogal vreselijke kerel, schijnt het,
de wachter van het lijkenhuis op Schiphol.

Ook voor de doden is hij meedogenloos.
Hij maakt volstrekt geen onderscheid –
een streekgenoot of een dorpsgenoot,
het maakt hem niet uit.
Hij vergeeft ze absoluut niet
en laat hen niet met rust
die aan het rotten zijn begonnen
en dood in de kist teruggaan naar het vaderland.

Gierend als een kogel
tiert en vloekt hij, kortom,
die man uit Yozgat is een vreselijke kerel.
Hij schopt maar raak en schreeuwt:
'Hé joh, wist je niet
wat je zou overkomen?
Je was jong toen je kwam,
nu ga je terug als een lijk!'

En woedend schopt hij
met zijn schoen met stalen hak
tegen de kist
alsof hij een nagel in slaat.

Maar ik heb niemand ooit
kwaad gedaan, zelfs geen mier.
Hemel, nu het nog kan moest ik maar
een kaartje kopen naar het vaderland
en maken dat ik wegkom.

Henna Goudzand Nahar

Zwart koraal en varkensvlees

Ik stapte het halletje van mijn ouders binnen en hoewel ik geloofde dat Sophie de waarheid had verteld toen ze de afgelopen zondag zei dat de geur van fecaliën in het huis van mijn ouders haar de adem had ontnomen, was de geur die mij tegemoet kwam het teken dat alles in tact was wat in tact moest blijven. Het betekende dat mijn grootvader in een incontinentieslip onder zijn zwarte traditionele broek op zijn slaapbank bij het raam aan de straatkant lag, dat mijn vader achter hem op de zwarte leren bank probeerde bij te komen van zes dagen hard werken in het Chinese restaurant van zijn neef, dat mijn moeder bezig zou zijn met het naaien van feestkleding voor een van haar creoolse kennissen en dat mijn broer, zijn vrouw en hun drie kinderen, zich daartussen zouden bewegen.

Wanneer ik naast mijn grootvader zou gaan zitten, zou hij zijn linkerhand op mijn rechterbovenbeen leggen en vragen: 'Ben je al doktel?'

Ik zou met mijn hoofd schudden en hij zou me manen op te schieten met mijn studie, want het moest me niet gebeuren dat hij doodging voordat ik klaar was. Hij zou anders genoodzaakt zijn me uit de andere wereld te komen bezoeken om me tenminste één keer als arts bezig te zien.

Dat Sophie zich hiertussen een vreemde voelde, kon ik begrijpen. Religie was in haar familie iets voor onnozele zielen, voor mensen die nog bevrijd moesten worden uit de ergste vorm van achterlijkheid. Samen de maaltijden gebruiken was daarentegen heilig. Maar bij ons werden het confucianisme, de wintireligie en het katholicisme door elkaar beleden en at eenieder wanneer het hem of haar uitkwam. Eten deden we sowieso niet aan tafel. Dat rechthoekige meubelstuk in de kamer van acht bij vier was al heel lang verworden tot de werkplek van mijn moeder. De volwassenen aten met het bord op schoot. De oudste twee kinderen van mijn broer nuttigden hun maaltijden onder de tafel, tussen stukjes draad en repen stof, en het jongste kind wandelde het liefst rond met iets waarop hij kon sabbelen.

Vorige week zondag was Sophie na ruim een halfjaar weer mee naar mijn ouders. Hoewel we het niet hadden afgesproken, was het zowel voor haar als voor mij duidelijk geweest dat ze meeging naar mijn ouderlijk huis omdat wij elkaar binnenkort een ring om de vinger zouden schuiven. Sinds ik met Sophie omging, en dat was inmiddels al een jaar of drie, wist ik dat ze zich op het dertigjarig huwelijksfeest van haar ouders wilde verloven. Dat was in haar familie traditie geworden onder de oudste kinderen. Ik had wel eens getwijfeld aan het succes van een relatie tussen Sophie en mij op de langere termijn, maar als ik eenmaal tegenover haar stond, kon ik me er niet druk meer over maken. Dan gingen mijn handen automatisch naar haar dikke blonde vlecht om het elastiekje eruit te halen. En nu zat ik met Sophie in de woonkamer van mijn ouders. Omdat het dertigjarig huwelijksfeest van haar ouders een familieaangelegenheid was, waarvoor mijn ouders dus niet waren uitgenodigd, moest ik nu over onze verloving beginnen, maar Sophie keek om zich heen alsof ze in een verkeerde film was terechtgekomen. Mijn ouders probeerden haar op haar gemak te stellen door heel veel eten aan te dragen. Ze wees alles af, zelfs het kopje Chinese thee van mijn grootvader uit zijn eigen pot, een eer die slechts weinigen ten deel viel. Maar met een resoluut gebaar stuurde ze mijn grootvader terug naar de keuken.

Was het maar daarbij gebleven, dan was er nog niet zoveel aan de hand geweest. Maar mijn grootvader, een kleine, tengere Chinees, was nog maar net terug in de kamer of er gebeurde iets waarmee Sophie het voorgoed verknalde bij mijn familie. Het jongste kind van mijn broer, een ventje van nog geen twee jaar die wij King Kong noemden vanwege zijn stevige postuur, dreigde zijn evenwicht te verliezen net toen hij langs Sophie kwam. Intuïtief greep hij zich vast aan haar rok met zijn handje waarin hij ook een kippenpoot vasthield. Sophie trok haar rok onmiddellijk los en het kereltje viel achterover. Vijf volwassenen stonden als één man op om het kind omhoog te helpen. Zij mochten af en toe uit hun slof schieten tegenover de kinderen, de rest van de wereld diende hun nakomelingen als goden te behandelen. Wie de euvele moed had zich niet daaraan te houden, was voorgoed uit de gratie.

Terwijl mijn schoonzus het kind probeerde te troosten, keek mijn grootvader me met zijn spleetogen aan en zei: 'Loy, het is al kwalt voor zeven. Moet je niet gaan studelen?'

Wat hij bedoelde was dat ik onmiddellijk moest oprotten met Sophie.

De rest van de week had ik, zoals gewoonlijk, dagelijks telefonisch contact met mijn familie. Er werd over van alles gepraat behalve over wat er was voorgevallen de afgelopen zondag. Sophie was afgeschreven. Ik had de vlecht van Sophie na het bezoek aan mijn familie niet meer aangeraakt. Ik had een paar dringende vragen die ik haar wilde stellen, maar op de een of andere manier lukte het me niet om ze uit te spreken. Zou ze het accepteren dat mijn moeder haar kleinkinderen een broche met een zwarte koraal opspelde om ervan verzekerd te zijn dat het kwaad op een afstand bleef? En mocht mijn vader ze wakker komen maken als hij een van de lekkerste speenvarkens aan zijn spit had gehad?

In de week na het bezoek aan mijn ouders zag ik Sophie twee keer. De rest van de dagen was ik druk met mijn studie. Voor ik er erg in had, was de week om en stond ik, zoals gewoonlijk, op de zondagavond in de hal van mijn ouders. Ik hing mijn jas op, schudde de kou van mij af en stapte de woonkamer binnen in de verwachting dat alles zou zijn zoals het altijd was. Maar mijn moeder zat niet achter haar naaimachine en mijn vader lag niet op de leren bank. Ze stonden met mijn broer bij mijn grootvader, die een leren tas vasthield waarin hij zijn hele bezit bewaarde. Mijn groot-vader wenkte me om dichterbij te komen. Toen ik bij hem stond, sloeg hij de klep van zijn tas terug.

'Je vadel, je bloel, jij en ik,' kondigde hij aan terwijl hij vier tickets uit zijn tas haalde, 'gaan dit jaal zelf Ka-San houden voor je oma en tante. Zaterdagochtend nemen we het vlieg-tuig.'

Ka-San. De berg bezoeken. In dat platte tropische land waar mijn grootvader met zijn vrouw vanuit China hun geluk waren gaan beproeven, lagen de graven van de aan-verwanten niet op een berg maar op een begraafplaats tus-sen woonwijken. Daar gingen de Chinezen op Ka-San hun doden eren. Toen mijn vader en moeder zich, rond de on-afhankelijkheid, net als duizenden andere landgenoten had-den laten opjutten om hun geboorteland te verlaten, was mijn grootvader in hun kielzog meegereisd. Vanaf dat mo-ment was hij afhankelijk geworden van de achterblijvers om Ka-San te houden voor zijn overleden vrouw en dochter. Mijn broer en ik konden ons niet anders herinneren dan dat mijn grootvader, ergens in de herfst, gespannen zat te wachten op een telefoontje vanaf de andere kant van de oceaan, op de stem van neef Foeng-Chong die zou vertellen dat hij de graven van tante Njoek-Lan en nicht Kit-Ling had bezocht, dat hij wierook voor hen had verbrand en ook veel geld* zodat ze niets te kort kwamen in de andere wereld. Mijn grootvader zou opgelucht ademhalen en hij zou mijn broer en mij eraan herinneren dat het onze voorouders waren die over ons waakten. Mijn moeder en vader zouden bevestigend knikken. De blanke nonnen en fraters van de katholieke school in die stad aan de oceaan hadden die twee tevergeefs ervan proberen te overtuigen dat het niet de doden waren maar dat het God was die de wacht over hen hield.

Mijn grootvader reikte me een ticket aan. Voor het eerst keek hij mij aan op een manier alsof hij geen tegenspraak duldde. Hij stak een sigaret op, en nadat hij zijn longen had volgezogen zei hij dat als het niet anders kon, ik maar een week hoefde te blijven, maar dat hij, mijn vader en mijn broer het er na Ka-San nog even van zouden nemen. Hoeveel jaar had hij tenslotte nog te leven? Neef Then-Foek, voor wie mijn vader werkte, moest maar tijdelijk een andere kok inhuren, en op kantoor konden ze mijn broer wel even missen. Het was tijd dat mijn vader zijn geboorteland weer bezocht en dat hij zijn zoons liet zien waar hij als kind had gevoetbald. Als mijn studie toch zo lang duurde, dan maakte het niet uit dat ik er een weekje tussenuit ging.

En mijn verloving dan, wilde ik tegenwerpen, maar ik zei

---

* Het geld dat wordt verbrand is vals geld van papier. Er kunnen ook andere spullen (van papier en karton) verbrand worden, zoals televisies, huizen en sieraden.

niets omdat ik wist dat mijn familie me zou aankijken alsof ik ijlde. Hadden de inspanningen die ze de afgelopen jaren hadden geleverd om mij schuldenvrij door die dure studie te loodsen ertoe geleid dat ik een vrouw hier binnenbracht die hun nageslacht van zich afduwde?

'Morgen begin ik aan het nieuwe coassistentschap', mompelde ik een klein uur later.

Mijn moeder liep achter me aan de kamer uit. Bij de kapstok wachtte ze tot ik mijn jas gepakt had.

'Keuzen maken hoort bij het leven', zei ze toen ik mijn jas dichtknoopte.

Ze legde een hand op mijn arm, maar ik schudde die van me af. Even keek ik haar aan. Welke slavenhouders zich aan haar voorouders hadden vergrepen, wist niemand, maar ze had een olijfkleurige huid onder een bos kroeshaar. Het laatste had ik van haar geërfd, maar voor de rest was ik meer een zoon van mijn vader.

Toen ik de deur van de flat achter me had dichtgegooid, hoorde ik iemand 'Dok' roepen.

Aan de overkant, op de derde etage, hing Aziz uit het raam. Al jaren namen de bewoners van dit migrantenwijkje een voorschot op mijn bevoegdheid. Aziz kwam in djellaba naar me toe. Of ik nog steeds een geheim kon bewaren? Dan wilde hij weten of een vrouw meteen na haar huwelijksnacht zwanger kon raken.

'Ga maar een wieg voor je zoon of dochter timmeren', antwoordde ik en ik wilde hem geruststellend op een schouder slaan. Mijn hand ketste terug op de spierbundels die hij ontwikkeld had als bouwvakker.

Yen-Lan, Erik, Karel en ik meldden ons die maandag aan voor het coassistentschap gynaecologie en verloskunde. De twee gynaecologen van de afdeling stonden in de operatiekamer en we werden opgevangen door de zaalarts. Mijn familie verwachtte dat ik direct zou vertellen dat ik er een week tussenuit moest, maar voor mij stond dat allerminst vast.

Wij, de coassistenten, maakten daarna kennis met de verpleegsters. Enkele oudere verpleegsters hadden geen boodschap aan ons, zoals ze dat vermoedelijk aan geen enkele arts in opleiding hadden. Voor hen waren coassistenten lastpakken, verwende jongelui die hun voor de voeten liepen en hun het werk alleen maar zwaarder maakten.

Yen-Lan, de enige vrouw in ons midden, werd welwillender ontvangen. Blijkbaar juichten deze verpleegsters elke nieuwe vrouwelijke arts toe. Ik kende Yen-Lan al jaren. De eerste keer dat we elkaar tegenkwamen, had ze naar mijn bos kroeshaar gewezen en gevraagd of het echt was. Het was de gebruikelijke verwarring die mijn verschijning vooral bij Chinezen opwekte. Veel contact hadden Yen-Lan en ik tot nog toe niet met elkaar gehad. Tijd om nu met elkaar te praten hadden we ook niet. De zaalarts nam ons alle vier mee naar het kantoor en liet ons wat statussen van patiënten bekijken. Mevrouw A. had een stuitligging. De keizersnede zou morgenochtend worden uitgevoerd. Mevrouw G. had zwangerschapsvergiftiging. Mevrouw L. hield vocht vast.

'De rest wijst zich wel in de praktijk', zei de zaalarts toen twee patiënten tegelijkertijd om aandacht vroegen. Met z'n vieren gingen we naar kamer 3. Mevrouw A. had weeën. Ze maakte zo'n misbaar dat mevrouw G. een eigen kamer eiste.

'Pas op voor vrouwen die op het punt staan te bevallen', fluisterde de zaalarts.

Yen-Lan moest erom glimlachen. Voor het eerst zag ik dat ze kuiltjes in haar wangen had. Ik raakte ervan in verwarring en probeerde mijn aandacht te richten op de patiënten.

In de loop van de ochtend kwam mijn hand twee keer

tegen die van Yen-Lan aan en het was alsof er een stroomstoot door me heen ging. Het liefst was ik in een stoel naar Yen-Lan gaan zitten kijken terwijl ze daar een apparaat aansloot, hier een infuus af haalde of iemand wat bemoedigende woorden toesprak. Tegen mij en de andere co-assistenten zei ze het hoogstnoodzakelijke. Haar zinnen waren als stukjes been ontdaan van elk draadje vlees.

Om halfeen ging ik met de andere coassistenten naar de personeelskantine. Terwijl we op de lift wachtten, nam ik me voor om helderheid te scheppen, als het niet was voor Yen-Lan dan in ieder geval voor mezelf. Waarom voelde ik me plotseling tot haar aangetrokken? Was zij het die mij probeerde te verleiden? Of interesseerde ze me opeens omdat ik wist dat ze bij mijn familie in de smaak zou vallen? In de lift ging ik bij Yen-Lan staan en ik merkte op dat ik het de vorige avond met mijn aanstaande verloofde over dit coassistentschap had gehad. Ik had toen niet verwacht dat de eerste dag zo soepel zou verlopen.

De leugens rolden moeiteloos over mijn lippen. Intussen lette ik goed op Yen-Lan.

'Dit ziekenhuis staat zeer goed bekend', antwoordde ze zakelijk.

Vervolgens keek ze naar buiten. De schachtzijde van de lift was van glas en je kon de straat zien. Drie vrouwen passeerden met kinderwagens. Zag Yen-Lan zich al achter zo'n wagen lopen? Als ze dat zou willen, zou het haar geen moeite kosten. Zoals ze daar stond, met die rustige blik in haar ogen, was ze onweerstaanbaar. Het kon niet anders of een paar medestudenten hadden een blauwtje bij haar gelopen. Yen-Lan was nuchter. De medestudenten die om haar aandacht hadden gesmeekt, waren vast en zeker geen van allen een zoon geweest van iemand uit de vriendenkring van haar vader. En Yen-Lan wist dat je je beter tot je eigen kring kon beperken als het om een levenspartner ging. Dat zorgde tenminste voor wat harmonie in het leven. Over een paar jaar zou ze trouwen met iemand die bij haar ouders binnen zou lopen en zou weten wanneer hij moest praten of zwijgen, wanneer hij zich discreet moest terugtrekken of hulp moest aanbieden. Hij zou niet opkijken van het feit dat Yen-Lans grootouders rondscharrelden in het huis van hun zoon en net als Yen-Lan zou hij de geur van hun incontinentieluiers voor lief nemen.

Eenmaal in de kantine vroeg Yen-Lan me waarom ik er niet gerust op was geweest dat mijn eerste dag op deze nieuwe stageplek soepel zou verlopen. Ik had gelukkig net een grote hap van mijn brood genomen en kon naar mijn mond wijzen. Maar Yen-Lan liet zich niet van de wijs brengen. Toen ik mijn hap had doorgeslikt, kwam ze terug op de vraag. Ik antwoordde dat het ziekenhuis in een arme wijk stond.

'Dat mag wel zo zijn,' antwoordde ze verontwaardigd, 'maar dat betekent nog niet dat het personeel van dit ziekenhuis er met de pet naar gooit.'

Toen ik aan het eind van de dag met Yen-Lan naar buiten liep, wilde ik een stukje met haar opfietsen. Nog voor ik dat kon voorstellen, sprong ze op haar sportfiets en reed weg. Mijn opmerkingen over mijn aanstaande verloving en de kwaliteit van dit ziekenhuis hadden ons niet dichter bij elkaar gebracht.

Eenmaal op mijn studentenflatje at ik eerst een halve zak chips leeg voordat ik naar een snackbar ging voor een patatje. Twee uur lang zat ik op de bank te luisteren naar het rinkelen van mijn mobiele telefoon. Het was Sophie, die mij, als ik zou opnemen, zou vragen hoe mijn eerste dag op de afdeling gynaecologie en verloskunde was verlopen, maar in feite wilde weten wanneer wij de verlovingsringen gingen kopen. Toen ik haar om een uur of tien terugbelde, herinnerde ze me eraan dat het de volgende avond de bridge-avond van haar ouders was en dat we daarom bij hen thuis iets zouden instuderen voor het huwelijksfeest.

Ik ging naar bed en zag de grote wijzer van mijn wekker naar drie uur draaien.

Om zeven uur stond ik op. Ik goot twee kopjes espresso naar binnen voordat ik in staat was naar buiten te lopen. Rustig fietste ik naar het ziekenhuis. Wat mij plotseling bezielde? Toen ik het ziekenhuis naderde, schoot ik de stoep op aan de overkant. Ik fietste langs de snackbar die tegenover de achteringang voor het ziekenhuispersoneel lag. Daar had het personeel zijn fietsenstalling. Ik reed over peuken, manoeuvreerde tussen lege blikjes bier en bakjes patat die voor de helft waren opgegeten. Jongeren waren de vorige avond rond sluitingstijd naar binnen geweest, hadden deze spullen ingeslagen om zich vervolgens met elkaar te vermaken onder de luifel van de zaak. Ik kon dit weten. Tijdens de laatste jaren van mijn middelbare school waren de bioscoopavonden met mijn vrienden steevast op deze manier geëindigd. Dit leek zich afgespeeld te hebben in een grijs verleden, maar het was slechts een jaar of vijf geleden dat ik mezelf had opgesloten in de wereld van de universiteit, in die van muf ruikende studiezalen, omringd door jongeren van wie de blik op de toekomst was gericht. Het was het koekjesverhaal van mijn vader. 'Wie kan kiezen voor drie koekjes over een week in plaats van één koekje vandaag, heeft de sleutel tot succes', had hij mij en mijn broer van jongs af aan voorgehouden. De jongeren die ik de afgelopen jaren was tegengekomen in de studiezalen hadden deze wijsheid goed tot zich laten doordringen. Zelf had ik er ook naar geleefd. Maar in plaats van mijn fiets weg te zetten voor de tweede stagedag reed ik door.

Ik keek opzij. Het ziekenhuispersoneel ging af en aan. Sommigen haastten zich naar huis, naar hun bed na de doorwaakte nacht, anderen moesten aan een lange dag beginnen. Ik hoopte dat ik Yen-Lan zou tegenkomen. Onzin, zei ik tegen mezelf. Onzin! Ik moest haar uit mijn hoofd zetten.

Tien meter verder sloeg ik een zijstraat in. Het had de afgelopen uren behoorlijk geregend. De straten waren nog nat en dat kwam mij nu goed uit met mijn vermoeide lijf. De banden van de fiets gleden makkelijk over het wegdek. Ik reed in de richting van het park aan de zuidkant van de stad. Onderweg kwam ik constant groepjes middelbare scholieren tegen. Regelmatig reden ze met z'n drieën naast elkaar, zo dringend moesten ze elkaar hun verhaal vertellen. Dit had ik ook gekend. De laatste jaren had ik het gevoel dat ik mijn leven zelf op orde moest krijgen.

Toen ik de poort door ging van het park, kwamen zowel van links als van rechts drommen fietsers aan. Ik stak het geasfalteerde fietspad over, zette mijn fiets neer en liep een wandelpad op. Mijn voeten zakten weg in de bladerenmassa. De enige personen die ik tegenkwam, waren blanke bejaarde bewoners van de herenhuizen aan het park. De meesten hadden een hond bij zich, die ze naar zich toe trokken als we elkaar passeerden. Iedereen groette me. Was dat gewone beleefdheid? Of was het een bezwerende groet naar een niet-Nederlandse jongeman die gewantrouwd werd om zijn aanwezigheid hier op dit uur van de dag? Ik liep het park door. Een halfuur later stond ik weer bij mijn fiets. Als ik doortrapte, was ik maar een uur te laat op mijn stageplek.

's Avonds belde ik aan bij het ouderlijk huis van Sophie. De flat van mijn ouders paste minstens vier keer in deze woning. Elk voorwerp hier had de ruimte om aanwezig te zijn.

Sophie zat aan de eettafel, gebogen over een vel papier. Ze probeerde een sketch te schrijven gebaseerd op de manier waarop een gesprek tussen haar ouders verliep bij een meningsverschil. Toen ik naast haar ging zitten schoof ze het papier opgelucht naar mij door, overtuigd als ze ervan was dat het mij gemakkelijk zou afgaan. Binnen een kwartier kon ik haar een dialoog voorlezen.

Aan de andere kant van de kamer zat de broer van Sophie achter de piano. Met Caroline, zijn vriendin, had hij een lied bedacht dat ze samen op het huwelijksfeest zouden zingen.

'Mijn ouders', deelde Caroline me mee toen ik bij haar stond, en ze wreef over haar wipneus vol sproeten, 'zullen op het feest invallen bij het refrein.'

Mijn blik ging automatisch naar Sophie.

'Je gaat me toch niet vertellen', vroeg ze lachend terwijl ze naar de piano liep, 'dat jij je ouders wel op het feest zou willen hebben?'

'Papa en mama', vertelde ze vervolgens aan Caroline, 'hadden mij voorgesteld om Roys ouders ook uit te nodigen. Ik ben er tegen hem niet eens over begonnen. We weten allebei dat dat geen succes zou zijn.'

Caroline keek me vragend aan en ik kon niet anders dan knikken. Alleen al de hoeveelheid bestek en serviesgoed bij het diner zou mijn ouders zodanig imponeren dat ze zich het liefst op het toilet zouden opsluiten.

Terwijl ik me afvroeg waarom ik Sophie nog steeds de vragen over het zwarte koraal en het varkensvlees niet had gesteld, riep ze tegen mij dat we moesten opschieten. Ze had er geen zin in om haar ouders over een paar dagen teleur te stellen. Wat nu telde was dat zij en ik de sketch voor hun huwelijksfeest goed instudeerden. Sophie maakte me met een handgebaar duidelijk dat ik bij haar moest komen staan. Voor het eerst viel het me op hoe fel ze uit haar ogen kon kijken. Ik deed gedwee een stap naar voren, maar bleef vervolgens staan. Het leek me beter, zei ik tegen haar, als haar broer zich in de rol van hun vader ging verdiepen. Sophie keek me niet-begrijpend aan. Ik moet nog wat onzeker hebben geklonken toen ik zei dat ook ik mijn familie niet wilde teleurstellen en dat ik daarom op de huwelijksdag van haar ouders maar het vliegtuig in moest stappen om mijn grootvader te vergezellen naar de graven van zijn vrouw en dochter.

Rashid Novaire

De gastrol

Hij was het verliezen kwijt.
Wel: testbeeld waaruit hij kiezen kon
luxaflex, ontbreken van tijd,
niet meer weten of het eens begon.

Mijn vader belde me vanuit een telefooncel in Marokko en
vertelde me dat hij het druk had, dat hij zou gaan trouwen.
'Het is druk', zei hij.

'Druk met wat?' vroeg ik. Ik kon hem slecht verstaan. Ik
hield de hoorn een eindje van me vandaan. 'Een bruiloft',
antwoordde hij.

'Wie gaat er trouwen?' vroeg ik.

'Je vader', zei hij. Ik antwoordde niet, ik kon niet denken.
Toen ik stil bleef, hoorde ik hem verbaasd 'Hallo, ben je
daar?' uitroepen, alsof een storing in de centrale verantwoordelijk moest zijn voor mijn zwijgen. Ik hoorde hem
lachend zeggen: 'Schrijf je nog? Misschien kan je nu wel
een verhaal gaan maken voor je broertje of zusje.' Die had ik
nog niet. Ik begreep dat hij in een motel aan de rand van de
woestijn nieuwe kinderen aan het maken was. Ook begreep
ik dat het aanvankelijke doel waarmee hij naar Marokko was
afgereisd, geld van een spaarrekening losweken om mijn
studie te betalen, niet meer genoemd zou worden. Hij had
in Rabat een vrouw ontmoet. Hij zou diezelfde vakantie met
haar trouwen. Mijn studiebeurs ging nu op aan een brui-
loftsfeest dat ik zou moeten missen.

'Veel geluk', zei ik en ik legde de hoorn naast het toestel. Ik ging op de parketvloer liggen naast de telefoon en ook al hoorde ik de kiestoon zich aan mij opdringen, ik kwam niet in beweging, maar bleef stil omhoog en door het raam naar het wollige spoor liggen kijken dat een langsscherend vliegtuig door de felblauwe lucht trok. Het was de tweede zaterdag in juni; de zon leek voor de rest van de zomer niet meer weg te denken.

Waarom vloekte ik niet? Misschien omdat ik wist dat mijn vader alleen, zonder vrouw, in Holland zou verdrinken. Dat hij ten onder zou gaan aan het gefrituurde vet en het bier in obscure nachtlokalen. Hij, de man met het witgeschminkte gezicht. De acteur A., die Schiller in de stadsschouwburg speelde, die als een van de weinigen van de eerste generatie Marokkanen de hele wereld omarmde op het Amsterdamse Leidseplein. De artistieke man. De man, die toen de koppelaars uit Oud-West hem een maagd uit de Rif wilden aansmeren, aanvankelijk antwoordde als in een chanson van Brel: 'Ik weet niet eens wat een vrouw is.' Een gastarbeider was hij niet. Hij had een gastrol gespeeld. Dat wel. Zijn hele leven lang.

Ik denk aan de eerste keer dat ik begreep dat mijn vader nergens thuishoorde. Een avond in de zomer. Ik ben negen jaar en zit met mijn moeder in een boemeltrein die zich traag langs de toeristendorpjes van de Costa Brava voortbeweegt richting Barcelona.

'Je kunt nu elk moment de buitenwijken van de stad zien', zegt mijn moeder en ze haalt een zonnebril tevoorschijn uit haar rode krullen. 'Kijk maar uit het raam, het is hier nog wat grauw, maar alle voorsteden zijn lelijk.'

Inmiddels staat er een man in het gangpad. Hij houdt zich vast aan het bagagerek boven ons. Zijn ogen staan troebel.

Hij heeft mijn rechterhand even aangeraakt, misschien per ongeluk, want wanneer ik opkijk, ziet hij me niet en grijnst naar een onzichtbare vertrouweling ergens achter in de lege coupé. Hij wankelt.

'Kijk maar niet naar hem', zegt mijn moeder korzelig. 'We zijn er bijna.'

Ik schuif dichter naar haar toe. Mijn moeder: de rode adelaar die mij eens in de maand naar een ander nest bracht. Daar in het huis van mijn vader maakte ze ruzie met hem, met de versufte man in djellaba, die gelaten aanhoorde dat ik niet meer bij hem zou mogen logeren als hij me nog eens zou meenemen naar bars als The Dolphins, waar ik geduldig wachtte naast de gokautomaat tot hij zijn glazen had geleegd. Op dat soort nachten rook hij als de man die nu naast me staat in het gangpad van de trein. Ik durf me bijna niet af te vragen wat het nu precies is dat hij en mijn vader gemeen hebben. Toch voel ik aan mijn hartslag dat ik het moet weten.

'Daar is de zee', roept mijn moeder alsof de zee een verzoekplaat is die ze op de radio heeft aangevraagd. 'Kijk, jongen, hier wordt het leuk.' Ze wijst met de poot van haar bril naar het blauw en de smalle stranden die als afgeknipte teennagels aan de rotsachtige kust verschijnen. Het spiegelend oppervlak van turkoois wordt alleen hier en daar verstoord door de sporen die speedboten achterlaten en ik zie hoe een enkele zwemmer wel honderd meter van de kust is weggezwommen, alsof hij voor eeuwig wil ondergaan in dat heldere water.

De trein schokt, waardoor de man in het gangpad zijn evenwicht verliest en hij hoestend ineenzakt op een van de met hard schuim beklede banken. Ik kijk naar hem. Ik knijp zo hard in de hand van mijn moeder dat het pijn doet. Ze vraagt wat er is.

'Die man lijkt op P.', zeg ik en ik hoor, als een buitenstaander, de angstige toon in mijn eigen stem.

Mijn moeder zit nog steeds met haar rug naar me toe uit het raam te kijken. Haar rechterhand zoekt snel naar mijn pols. 'Hij lijkt niet op hem. Hij is heel anders', zegt ze.

Even later gaat de trein sneller rijden en stroomt de coupé vol met mensen die een taal spreken waarvan ik deze vakantie de woorden probeer te verstaan door heel goed te luisteren, maar die nu ineens langs me afglijdt. De meeste passagiers blijven staan omdat de trein bijna zijn eindpunt heeft bereikt.

Het station is groot en licht. We lopen samen de stad door. In mijn hoofd beent mijn vader met mij op zijn rug tegen de striemende regen in naar de plek waar ze verwachten dat hij op de tafels springt en playbackt in een microfoon zonder snoer. In mijn hoofd vraag ik me dingen af en kijk naar mijn moeder. Samen gaan we een klein stadspark in. We kopen flesjes prik bij een soort bouwkeet waar harde muziek uit de boxen bij een skatebaan schalt en we zoeken even verder een stiller deel van het park op, waar oude mannen ruziemaken in het laatste daglicht. We zoeken het bankje uit waar niemand anders zit. Dan zegt ze vrijwel meteen: 'Die man in de trein had gedronken. Hij drinkt ook pils als hij verdriet heeft. En van pils krijgt hij weer verdriet.' Steeds als mijn moeder ademhaalt voor haar volgende zin doet ze iets met haar schouders, die ze optrekt om haar hoofd ertussen te bergen, iets wat ik haar nooit eerder heb zien doen. Ze lijkt op een oude schildpad die schrikt van de zon.

'Is dat erg?'

'Ja.'

'Gaat-ie er dan dood aan?'

'Hij moet ermee stoppen.'

'Is dat door Nederland gekomen?'

'Ik denk het niet. Hij paste ook niet in Marokko', ant-

78

woordt ze. 'Hij wilde er graag weg. Trouwens, hij dronk daar al.'

Ik kijk naar de mensen die hand in hand voorbijlopen. Ze kijken niet naar mij. Opeens voelt het of ik helemaal onzichtbaar ben. Of niemand me ooit zal zien, voor straf: omdat A. lang geleden iets fout heeft gedaan. Omdat hij nergens past.

'Waarom?' vraag ik.

Ze denkt lang na. 'Ik weet het natuurlijk niet', zegt ze. 'Ooit heeft hij me wel verteld dat hij dronk omdat hij weggegeven is.'

Het schemert. Ik staar naar het platform waarover jongeren skaten, verlicht door lampen die hoog aan twee palen zijn gebonden. Onder de lantaarnpalen die nu ook aanflitsen, blijven de groepjes mannen praten en roken. Een veegt zijn schoen af aan een oude krant.

'Aan wie?'

'Je vader groeide op bij een oude man en vrouw in een voorstad van Rabat. Zij konden geen kinderen krijgen, maar hij geloofde wel dat zij zijn ouders waren. Iedere vrijdag als hij naar de moskee was geweest speelde hij echter bij een groep jongens en meisjes in een groot huis in de wijk rond het paleis. Hij was al dertien toen hij te horen kreeg dat die mensen zijn eigenlijke familie waren. Hij heeft me ooit verteld dat hij daarom...' Ze slaat een arm om me heen. 'Soms weet je zelf niet meer hoe het kan dat je nergens meer thuishoort', zegt ze en we lopen naar het hotel.

Zes jaar later, na zijn haastige telefoontje, vroeg ik me af of hij dit verdriet uit zijn jeugd beschouwde als zijn eerste gastrol. Een rol waarvan iedereen het script had gelezen behalve hijzelf. Zoals Nederland met alle aanmaningen van instanties hem ook nooit iets had uitgelegd. Zoals niemand hem zou uitleggen hoe hij van een flamboyante acteur in café Cox kon worden tot een ziekelijke man met opgezette voeten die op vakantie in tien dagen een twintig jaar jongere maagd kon trouwen.

Zodra hij terug was, ging ik naar zijn huis en bekeken we de video's.

Het is een van de laatste aangename dagen van september. Door het raam van mijn vaders flat valt al het grijs te bespeuren dat ervoor zorgt dat de lange rijen schotelantennes van de buren niet meer glinsteren in het zomerlicht. Ook hij heeft al de Arabische zenders besteld. Zijn bruid telt vanwege Hollandse bureaucratie de dagen voor vertrek af in haar ouderlijk huis, maar een behoofddoekte omroepster van MBC verschijnt al wel op zijn televisie, als om haar feestelijk aan te kondigen.

Mijn vader heeft al meer voorbereidingen getroffen. Op de muur zie ik witte plekken. Wat hing daar? vraag ik me af. Abstracte schilderijen, kaartjes van Hollandse geliefden. Ik durf niet naar de slaapkamer te gaan, waar een grote foto van mij hangt. In plaats daarvan concentreer ik me op mijn vader, die versmelt met het testbeeld van zijn tv-toestel. Hij vraagt me om de luxaflex te sluiten. Hij heeft over mijn zomer nog niets gevraagd. Ik voel me onzichtbaar. Zijn nagels zijn goed verzorgd, maar de huid van zijn handen is schraal. Hij drukt driftig de knoppen in van de afstandsbediening. Zijn ogen zoeken contact met het videokanaal. Waar is het videokanaal?

Als ik thuiskom, wil ik een gedicht schrijven over de blik op zijn gezicht. In het halfdonker neem ik de afstandsbediening van hem over en hoor al het geluid van Arabisch onvermoeibaar klappen. Door het beeld lopen prominente familieleden met een draagstoel in de nauwe straten van een kashba, omringd door mannen met trommels en kinderen met bloemen. De bruid is, hoewel ongesluierd, door de schokkerige cameravoering grotendeels aan het zicht onttrokken. De draagstoel wordt in de richting van een zaaltje voortbewogen en hier maakt de video gebruik van een klassieke techniek: close-up: tafels vol met besuikerd gebak waartussen mijn vader wacht in zijn lange djellaba. En meteen weer naar buiten, waar de video inzoomt op de draagstoel. Nu kan ik een blik werpen op de bruid, die als een witgeschminkte Venetiaanse carnavalsganger weinig menselijke trekken meer vertoont. Ook wanneer ze de ruimte in wordt gedragen, mijn vader op haar ziet zitten wachten, vertoont ze geen enkel teken van herkenning.

In het volgende shot zitten ze samen. Mijn vader, die er mager en beschroomd uitziet in de te grote katoenen jurk, beweegt niet en de camera zoomt algauw in op de lachende feestgangers. Hun dansen oogt als een bevrijding, individueel en samen zijn ze organisch, maar in de blik waarmee mijn vader toeschouwt, herken ik niets van zijn uitgelatenheid op de tafels van bars in het centrum. Ik zie een man met een gastrol. Als ze hem komen halen om te dansen is mijn vader degene die aarzelt en terug lijkt te deinzen en het is of hij steeds zijn ogen neerslaat. Mijn vader spoelt de video terug en ik zie weer de mensenmenigte door de straten trekken. Achteruit nu, alsof hun gezichtsuitdrukkingen en houdingen zich in dit terugspoelen zouden kunnen aanpassen aan een andere gebeurtenis. Zonder het te willen denk ik aan de dag dat ze niet zijn bruid maar zijn doodskist door de straten dragen. Zal het in diezelfde straat zijn? Ik denk aan alle gastrollen waarover niet meer zal worden gesproken.

Duizelig van het donker en de chaotische beelden sta ik op van de bank en loop snel naar het balkon. Alleen bij de slaapkamer sta ik even stil. De muur is leeg.

Ellen Ombre

Erfgift

Mijn moeder was ongehoord kleurgevoelig, ook in haar taal. Daardoor heb ik van kindsbeen af veel met haar te stellen gehad. Wanneer ze mijn haar kamde, zuchtte ze dat ze eelt kreeg op haar handen van de pottenschuur die op mijn hoofd groeide, en ze vroeg zich hardop af waarom de Lieve-Heer, ze was godvruchtig, mij met die potverdomme had gezegend. Ik draag nog een brandvlek op mijn oorschelp van de gloeiende preskam waarmee mijn kroeshaar werd gladgestreken.

Later, in Nederland, vond ze dat ik zienderogen vernegerde toen ik weigerde nog langer te *pressen* of te *straightenen*, en rebels een afrokapsel liet groeien.

Ik was spaarziek; ze noemde me 'een echte kleine jodenpinda', wat liefkozend was bedoeld.

Soms, als ze door mijn schuld in een bepaalde bui raakte, uitte ze taal die mij bang maakte, woorden waarvan ik zou willen dat ze die nooit zei. De toon was alledaags en loodzwaar tegelijk. Het was de ultieme afwijzing. Ze zei, terwijl ze een diepe zucht slaakte: 'Waar heb ik dit kind gevonden?' Moederstaal was straf.

Juist omdat ze zo kleurgevoelig was, voelde ze zich gauw gediscrimineerd, maar dit is een verhaal op zich.

Op een avond, we woonden sinds een maand vierhoog op een flat in Vlaardingen, vroeg ik haar voor het slapengaan wie mijn vader was.

'Je hebt geen vader', zei ze kort.

'Iedereen heeft een vader, zegt juffie.'

'Pompeer me niet. Laat die juffie van je d'r mond gaan wassen. Je gaat naar school voor les, niet om te worden ondervraagd. Vraag juffie voor me of ze van de CIA is.'

'Op school moesten alle kinderen hun huis tekenen. Ik had onze flat op Zorg en Hoop in Paramaribo getekend. Op het bord, omdat ik nieuw was. En ze lachten me allemaal uit. Ik wil niet meer naar school.'

'Om een flat? Meisje, ga slapen, hoor!'

'Ze zeiden "dommie" tegen me, want een flat is niet plat gebouwd, op de grond; hij heeft verdiepingen. Ons huis in Suriname heet niet "flat" maar "eengezinswoning". En ik heb geen vader.'

'Patata's denken dat zij het alleenrecht hebben om het evangelie te verkondigen, witte pieren zonder manieren...'

'Allen tegen een is heel gemeen. Ik wil terug naar Suriname.'

'Wat is dit voor *palabra*?'

'Naar mijn vaderland', teemde ik.

'Over mijn lijk', zei ze. Daar schrok ik van, even maar, en later vroeg ik opnieuw: 'Waar is mijn vader?'

'Mijn god, dit kind! wat wil je van me?'

'Dat u het mij zegt.'

'Ik zal je iets vertellen als je belooft niets meer te vragen en morgen netjes naar school te gaan. Je maakt me inverdrietig met je grotemensachtige weetgierigheid. En dat voor een kind dat nog nat is achter de oren.' Ze ging op de rand van het bed zitten, ellebogen op de knieën, het hoofd in haar handen. En dit is wat ze vertelde: 'Lang geleden leefde er een mooi jong meisje met haar ouders op een plantage. Ze was ongeschonden, altijd ijverig bezig met naaldwerken en hypernetjes. Niet zo'n slordige vos als jij.' Ze kneep me zachtjes in mijn wang.

'Wat is ongeschonden?' vroeg ik.

'Dat alles eh... de porseleinkast, die hele santenkraam intact is... Luister je nou of niet?' En ze ging verder: 'De jonge vrouw hield van bloemen, nog het meest van vadersvloek.'

'Vadersvloek?'

'Ach, ze noemen het ook "moederszegen". Maar goed, op een dag, het was in de kleine droge tijd, liep ze op het erf rond. En toen ze daar zo bezig was te bukken en van de paarsrode bloemetjes plukte...'

'Toen kwam er een bonte vlinder, die kuste haar op haar mond', begon ik te zingen, want dat was mijn favoriete liedje toentertijd.

'Moet ik doorgaan of niet?' vroeg ze. 'Dan moet je stoppen met me van de wijs te brengen', en ze vervolgde: 'De jonge vrouw voelde dus een arm die als een boa om haar middel werd gelegd. Wit van schrik richtte ze zich op. Ze stond oog in oog met een grote neger, een verschijning van een vent, zijn witte tanden blonken in het licht. Enfin... toen het jonge meisje vele maanden later door de ooievaar werd verrast, was de baby die dat beest haar voor de voeten dropte kopieconform de neger van wie ze was geschrokken...'

'Is dit een sprookje?'

'Vraag me niet wat een sprookje is, kind, ik weet het niet.'

Ik was blij dat ze voor eens geen dokter-alwetend was. 'Kopieconform'... ik nam het woord op mijn tong, rolde het rond als een zuurtje in mijn mond, zoog het op, en viel opgelucht in slaap.

Enige tijd geleden is mijn moeder overleden. Haar laatste wens was dat haar as zou worden verstrooid op Joden Savanne aan de Surinamerivier. Daar, op die oude joodse nederzetting, lagen haar voorouders begraven, mensen van wie ik geen weet had. Tot ze het me vlak voor haar dood vertelde. Ik had mijn erfportie gehad. Met haar laatste wens belast, ging ik korte tijd later op weg.

Ik stond voor de incheckbalie van Schiphol op het vertraagde vliegtuig naar Suriname te wachten. Honderden mensen. Het leek een familiereünie, maar dan van een lijdzaam soort.

Een mannenstem naast me zei: 'Zodra die sneeuw met z'n spokendansjes in de lucht begint te grappen breekt de hele ganspotiek op, ze gaan naar huis; de hele rataplan.' De man wreef in zijn handen als bij opperste gezellige ontspanning. Hij was groot en breed, ademde de fysieke kracht van Mike Tyson. Ik stond voor suf, kreeg het er warm van, in de zin van benauwd, want de gedachte aan de vlucht, het opgesloten zijn, perste zich schrikbarend tussen ons in, verdrong het bliksemverlangen met één slag uit mijn geest. Meteen daarop werd ik afgeleid door een vrouwspersoon. Ze weekte zich van de massa los, klapte in haar handen, wuifde naar me: Graciella. Een tijd lang ging ik iedere maand naar haar huis in de Bijlmer om mijn haar op z'n Afrikaans te laten vlechten.

Graciella leunde tegen een volgeladen bagagetrolley. 'Mijn gód!' zei ze. 'In een Kodakmoment zag ik dat jij het was.' Ze zoende me verjaardagachtig summier op de wang: 'Meisje, jij ook van de partij... *Long time no see.* Je bent duur geworden, hoor! Kom, laat me je een *brasa* geven.' Ze omarmde me klamperig, keek om zich heen: 'Dit is wat je noemt een massameeting. Het is werkelijk meer dan beestachtig, zoveel mensen straks in dat ene ding. En ik heb al zo'n hinder van claustro. Heb je me indertijd niet verteld dat je meer een bootmens bent? Jij en vliegen zijn toch ook geen vrienden? In feite ben je net zo'n angstige haas als ik... Echt wel. *By the way*, nog van harte gecondoleerd met je moeders verscheiden. Ik kwam het te weten van horen zeggen; via de mond-op-mondkrant.'

Mijn vliegangst werd waarheid. Al het andere om me heen was aan twijfel onderhevig. Een familie in afgemeten zwartwit in de hoek van de vertrekhal leverde een troosteloze aanblik op. Ze droegen donkere brillen, behalve een jongen van een jaar of vijftien met gezwollen, puilende ogen, die zich overleverde aan ostentatief verdriet. De vertrekhal veranderde voor een moment in de wachtruimte van het crematorium waar mijn moeder werd gecremeerd: eendere gelatenheid, hetzelfde licht, de geurmelange van alcolade, floridawater en Shiling Oil.

Op deze KLM-lijndienst zijn er altijd passagiers die gaan begraven, van een begrafenis terugkeren, of met het stoffelijk overschot van een verwant meereizen: zielsverhuizing als je voorouderverering belijdt.

Graciella, op haar eigen golflengte, boog zich vertrouwelijk naar me toe: 'Je bent behoorlijk kortgewiekt, een beetje Frans coupé, maar wel vlot, hoor. Toch vind ik die extensions beter bij je passen. Minder, hoe zal ik het zeggen... manachtig.'

Ik was overgevoelig voor commentaar op mijn haar en moest wel aan mijn moeder denken. Ze had Graciella een keer ontmoet bij de Vereniging Ons Suriname, VOS voor de leden. Dat Graciella op haar leeftijd en met dat lichaam leggings droeg vond ze baldadig: 'Moet je zien hoe een dergelijk stuk kleding het vrouwenlijf onder de gordel zeugachtig samenperst', had ze gesist.

Graciella, mollig en veertig, zag er flitsend uit: zilveren Delilaslippers aan haar voeten, een gouden kettinkje om haar enkel, en in een glanzende fluisterbroek.

'Geef me geen *ogr'ai*•, hoor, want ik zie je kijken.' Ze

• Het boze oog

86

spreidde haar armen, draaide lichtjes met haar heupen en fluisterde in mijn oor: 'Schunnig, hè, weet je nog.' Ik herinnerde me haar woordafleidkundeles; 'fluisterbroek' was niet afgeleid van het geluid van stof tussen wrijvende dijen. 'Mis poes', giechelde ze toen. 'Fluisteren heeft met lippen te maken, ja toch. *Anyway*, de lipjes... meisje, je laat me me schamen', ging ze besmuikt verder. 'Dus je hoort ze als het ware lispelen: zie je me niet? Kom haale, kom haale, het is hier...'

Er werd omgeroepen: de vliegtuigvertraging wordt geschat op anderhalf uur.

'Luister,' vervolgde Graciella gejaagd, 'ik wil je iets vragen. Hoeveel kilo heb je? Ik heb zwaar overgewicht.' Ze lichtte moeizaam mijn koffer op, keek gepijnigd: 'Neen, *baja*, laat maar.'

Een rugzak botste tegen mijn schouder. De draagster liep ingespannen te lezen zonder op of om te kijken in *De Bosnegers zijn gekomen!* van W. Hoogbergen.

'Dame,' Graciella gaf een timmer tegen de rugzak, 'u hindert een ander zodanig met die bocheltas dat u het zelf niet weet.'

'Pardon', zei de vrouw verschrikt, ze klapte haar boek dicht en ging verderop bij een plantenbak staan.

'Deze witte gaat *native*', fluisterde Graciella lacherig terwijl ze met een blik van verstandhouding in de richting van de hippievrouw knikte. 'Deze' had een gele lap met zwarte Afrikaanse maskers om de lendenen geknoopt, het korte T-shirt liet een gepiercete witte navel bloot, in het vlassige blonde rastahaar hadden zich rode, groene en gele kralen genesteld. Blote voeten staken in rode plastic teenslippers. 'Deze' leek met haar kleding te protesteren tegen herkomst en afkomst die kennelijk niet etno genoeg waren naar haar zin. Ik merkte een vervelend gegrief in mijn gemoed: liever boos dan bedroefd of bang...

'Waar is dat kind. Moet je d'r zien, Latoya! Kom hier!' riep Graciella. 'Dit kind is hyper handtammig.' Een kleuter peuterde kiezeltjes uit de plantenbak en bood deze de vrouw met de rugzak aan. 'Als je niet luistert, laat ik je hier, hoor.' Het kind drentelde beteuterd naar Graciella toe en pakte de trolley vast. Graciella, mondverlegen, vertelde, terwijl ze een vlecht van het kind fatsoeneerde, dat de kleine een nakomertje was van Gerda, haar ex-schoonzus. 'Je kent haar wel. Ik vlecht ook voor haar. Ze kan om euronomische redenen niet naar huis. Dus ik zeg tegen d'r: geef me Latoya mee. Nu betaalt ze procenten, over een tijdje vliegt ze voor de volle mep. Ik zeg je eerlijk, als ik niet de eerste hand had in een kasgeld kon ik deze reis op mijn buik schrijven. De KLM rampeneert ons met die ticketprijzen. Ze zijn zo hebgierig, het is gewoon aso. Alleen omdat ze monopolie spelen bluffen ze... Meisje, in plaats van te staan kletsen kan ik beter naar iemand omkijken die me met mijn overgewicht kan helpen. Zie je deze turkentas hier?' Ze pikte een armetierige, geblokte tas met een kapotte rits uit haar bagage: 'Hier, precies die tien kilo die ik te veel heb.'

Een ongeordende rij vormde zich voor en achter ons. 'Wacht maar niet op mij. Ga alvast inchecken. Met gods wil vind ik straks iemand met wie ik mijn ballast kan delen.'

Even later, na de douane, zag ik Graciella vriendschappelijk met de hippiedame belastingvrij winkelen. Ze praatte honderduit. De vrouw had de kleine Latoya op de arm. Tussen hen in bengelde wat Graciella de 'turkentas' noemde, met overgewicht. Het zag er idyllisch uit, alsof ze al jaren vriendinnen waren.

En ik... ik sjouwde met de aslast in mijn tas en miste het gemis...

Ibrahim Selman

Het stille afscheid

Opgewekt word ik wakker. Mijn lichaam voelt als een veer. Ik stap mijn bed uit alsof ik een ballet ga dansen. Een vrolijk lied draait in mijn hoofd, ik begin mee te neuriën. Ik pak mijn scheerapparaat uit een kastje in de badkamer en haast me naar beneden. Ik doe de vrieskast open, haal brood uit de vriezer, leg het op tafel, ga op het toilet zitten en begin me te scheren.

Ik ben iets eerder opgestaan dan anders omdat ik mijn vrouw met ontbijt op bed wil verrassen. De toppen van mijn vingers voelen wat ruwe haartjes onder mijn kin. Ik ga er met het scheerapparaat weer overheen tot de huid helemaal glad is.

Ik plaats de waterkoker onder de kraan en zet het apparaat aan. Terwijl het water kookt, schaaf ik kaas voor tosti en omelet. Ik neurie het vrolijke lied nog steeds door. De geur van de tosti en omelet is heerlijk. Met een schaal ga ik naar boven om mijn vrouw voor één keer in haar leven met een lekker ontbijt te verrassen.

Ik duw de deur zachtjes open, blijf daar even staan, kijk naar het lege bed. Een ader tussen mijn linkeroog en mijn wenkbrauw bonkt een paar keer. Ik voel even onraad. Toen ik klein was, hoorde ik vertellen dat het bonken van het linkeroog ongelukken voorspelt. Ik blijf midden in de slaap-kamer staan, met de schaal in mijn handen, denk na over de afwezigheid van mijn vrouw, roep: 'Ma, Mar, Maria', maar ik hoor alleen de stilte. Volgens de elektronische klok op het kastje naast het bed is het tien uur geweest. Maria is al naar haar werk en ik ben te laat opgestaan.

Ik ga op bed zitten, zet de ontbijtschaal op mijn schoot en begin snel te eten alsof ik deelneem aan een eetwedstrijd. Alles gaat in een snel tempo: ik drink beide kopjes thee leeg, laat een stevige boer, zet de schaal op de grond, spreid mijn armen en plof op het bed. Ik wil uitbuiken. De geur van mijn vrouw overvalt me, vult mijn neus en longen. Ik hoor haar stem en spits mijn oren. De stilte volgt. Ik til even mijn hoofd op en roep weer: 'Mar, Ma, Maria, moedertje.' Het is weer de stilte die antwoordt en echoot. Is Maria nu wél of niet thuis? Ik blijf op mijn rug liggen. De ader boven mijn linkeroog bonkt weer, harder. Het doet pijn alsof mijn linkeroog uit zijn kas gaat springen. Ik probeer mijn gedachten op een rijtje te zetten. Ik wil weten waar mijn vrouw is. Is ze toch thuis? Of verbeeld ik me dat? Is er iets mis met me?

Ik sta op, pak de ontbijtschaal van de grond en ga snel de trap af. In de keuken leg ik de schaal op tafel, kijk uit het raam waarop de regen naar beneden glijdt. Ik krijg zin om in de regen te gaan wandelen. Ik trek mijn schoenen en mijn jas aan en loop naar de voordeur die vanbinnen op slot zit. Ik doe hem open en zie de buurvrouw in haar auto achter het stuur zitten. Ze zwaait en rijdt weg. De regen kust me overal, mijn gezicht, ogen, lippen en handen. Ik loop de straat en de wijk uit en bevind me langs het kanaal. De regen danst op het water.

Nu herinner ik me dat de voordeur vanbinnen op slot was. Ik blijf stil staan. Waarom? Waarom blijf ik stilstaan in de regen? Ik loop verder en opeens snap ik het: als mijn vrouw naar haar werk is gegaan kan ze de deur niet vanbinnen op slot hebben gedaan. Ze is dus niet naar haar werk gegaan. Waar is ze dan wel? Heeft ze zich verstopt?

Mijn ogen zijn betraand door een heerlijk gevoel. Zo'n

gelukzalig gevoel is zeldzaam. Waar komt dat gevoel vandaan? Ik ben door en door nat. Opeens sta ik weer bij mijn voordeur en ik bel aan. Ik wacht. De deur blijft dicht. Ik haal de sleutels uit mijn broekzak, open de deur, loop meteen naar het toilet, pak wat toiletpapier van het rolletje en snuit mijn neus leeg.

Ik sta in de woonkamer. Mijn hoofd voelt zwaar en hangt op mijn borst. Druppels water vallen op de vloer. Ik wil uit het raam kijken, maar de vallende druppels fascineren me. Ik zie het druppelende infuus aan de arm van mijn vrouw. Alles wordt wazig. Ik kijk naar de onscherpe druppel. Hoe lang ik daar blijf staan weet ik niet.

Mijn rechterbeen slaapt. De regen die ik naar binnen heb gesmokkeld vormt kleine plasjes op de grond. Ik schud mijn natte haren als een hond. Ik doe mijn jas uit en gooi hem op de bank. Ik hoor een geluid dichtbij, kijk om me heen en roep: 'Mar, Ma, Maria, moedertje.'

Maar ik hoor weer niets. Ik kleed me verder uit en gooi mijn natte kleding op de grond. Ik sta alleen met mijn onderbroekje midden in de woonkamer. De gordijnen zijn open. Een harde maar korte, stoutmoedige lach barst uit mijn longen. Zonder de gordijnen te sluiten, trek ik mijn onderbroek uit. Net John Cleese in de film *A Fish Called Wanda*, denk ik. Ik hoop dat mijn vrouw binnenkomt, mij zo ziet en schrikt. Dan kan ik lekker lachen. Ik huppel naakt door de woonkamer met mijn onderbroekje in mijn hand. Ik doe John Cleese na en spreek een soort nep-Russisch en nep-Italiaans. Mijn vrouw komt niet, het huis houdt zich stil. Ik gooi mijn onderbroekje op de bank, buk en leg mijn handpalmen op de grond, klaar om push-ups te doen. Een wind explodeert naar buiten. Een stem schaterlacht: 'Daar vliegt je omelet weg.' Ik doe de push-ups snel, heftig, schreeuwend tot ik, uitgeput, plat op mijn buik val. Ik spreid mijn armen en benen ver uit elkaar en blijf op de koude vloer liggen. De kou en de nattigheid dringen mijn lichaam binnen. Ik sta langzaam op, loop naar de trap en hoor Maria schreeuwen: 'Niet aan de trap hangen. Je maakt mijn huis kapot, ga naar een sportschool of een sportpark, blijf van die trap af.' Ik schrik maar ben blij haar stem te horen, zelfs als ze schreeuwt. Haar stem zit in mijn hoofd en echoot door het huis. Zijzelf is onzichtbaar. 'Goed, je komt niet tevoorschijn. Blijf je onzichtbaar, dan ga ik aan die trap hangen', roep ik hard. Ik hoor geen reactie.

Naakt ga ik aan de trap hangen. Ik zie een paar grijze haren tussen mijn borstharen. Ik trek mijn benen omhoog en duw mijn achterste naar voren om te zien of ik geen grijze haren in mijn schaamharen heb. Door die beweging krijg ik kuitkramp. Ik laat los, wrijf mijn rechterkuit terwijl ik hinkend naar mijn kleding zoek. Daarna neem ik de trap naar boven, naar de badkamer. Vóór ik onder de douche ga, spring ik, ondanks de pijn in mijn kuit, een paar keer op en neer terwijl mijn armen en benen de lucht schoppen (dat vindt mijn vrouw ook hoogst irritant). In de spiegel maak ik grimassen, trek gekke bekken en lach hartelijk. Ik stik bijna in mijn lach. De overdreven vrolijkheid in mij grenst aan absurditeit. Hierna zal een trieste en heftige stemming volgen. Dat is zeker, dat weet ik. Hoe lang de extreme, sombere stemming op zich laat wachten weet ik niet, maar dat die nog dezelfde dag komt, is zeker. Ik ga in de douchecabine staan en draai de kraan open. De koude stralen laten me bibberen. Het water wordt langzaam warm. De stralen van de warme douche masseren mijn schouders en mijn hoofd. Ik blijf lang genieten van de waterval en hoop stiekem dat de sombere stemming vandaag uitblijft.

Ik hoor de telefoon rinkelen, doe de douchekraan dicht en droog me snel af, maar de telefoon zwijgt weer. Terwijl ik me aankleed, denk ik aan het portret van mijn vader in de boekenkast. Ik heb hem nog niet gegroet, de ochtendgroet. Ik durf niet naar het portret te gaan kijken, bang dat hij zich ergert aan mijn vrolijkheid. Hij wilde me nooit vrolijk zien. Hij is al decennia geleden gestorven, maar iedere dag moet ik naar zijn portret kijken, 'goedemorgen, pa' zeggen en hem een plezierige dag toewensen daarboven. Hij kijkt eeuwig onverschillig, maar als ik soms heimelijke informatie of steun vraag, kijkt hij streng. Soms verplaats ik zijn portret een plankje lager, maar merk dan later dat hij weer op zijn oude plek terug is. Zelf geklommen? Wanneer ik hem een aantal dagen negeer, gaat alles goed, geen problemen, geen zielenpijn en zeker geen migraine. Ik hou het nooit vol hem langer dan een week te ontlopen, omdat ik zijn aanwezigheid voel, zijn zuchten hoor. Ik krijg medelijden met hem en ga hem weer groeten. Als ik eenmaal voor zijn portret sta, krijg ik meteen spijt. Ik zie een cynische maar triomfantelijke blik in zijn ogen die me dan zonder te knipperen volgt. Mijn onvermurwbare vader krijgt, hoe langer hij dood is, steeds meer greep op mij. Vandaag negeer ik hem. Wat kan een dode mij maken?

Ik kleed me aan en hoor een stem fluisteren: 'Als Mohammed niet naar de berg gaat, gaat de berg naar Mohammed.' Ik kijk in de spiegel en zie mijn vader: 'Waar blijf je jongen? Kom je nog goedemorgen zeggen of gedraag je je de rest van de dag als een klein kind? Wanneer word je volwassen? Je bent nu ouder dan ík toen ík gedood werd.'

'Pa, je ligt meer dan vijfduizend kilometer hiervandaan, waarom laat je me niet met rust?'

Hij lacht me hartelijk uit, hij lacht me uit. Ik kijk weg, zoek mijn aftershave en herinner me het verhaal van Cemal, die een paar weken eerder naar Turkije was gegaan om zijn vader te begraven. Cemal was mijn buurman, de enige buurman bij wie ik ooit thuis uitgenodigd werd. Hij en zijn vader hadden een heel goede band met elkaar, dat vertelde hij me toen hij zijn vader in Turkije begraven had en weer in Nederland terug was. Ik condoleerde hem en vroeg hem hoe het was om afscheid van zijn vader te nemen. 'Ik kon helaas geen afscheid nemen. Hij overleed een paar uur voor ik thuis aankwam', zei Cemal met een glimlach op zijn gezicht. 'Maar ik mocht hem wassen. De mollah gaf alleen mij en mijn broer daarvoor toestemming. In de badkamer heb ik zijn lichaam heel grondig gewassen. Ik poetste tussen zijn tenen, teen voor teen heb ik met een ruw washandje gewassen. Tijdens het wassen herinnerde ik me onze bezoeken aan de hamam toen ik klein was. Toen waste hij mijn lichaam heel grondig en goot heet water over me heen. Ik verbrandde bijna elke keer. Ik schreeuwde soms van pijn. En toen ik hem aan het wassen was, de eerste en meteen de laatste keer, dacht ik dat hij ging schreeuwen en klagen dat het water te heet was. In gedachten verzonken waste ik mijn vader en ik glimlachte. Mijn broer zei: 'Cemal, waarom lach je?' Ik vertelde hem over onze vader, over onze bezoeken aan de hamam en dat we schreeuwden van de hitte. Hij zei dat hij ook precies hetzelfde dacht en toen lachten we allebei hard en luid. We kwamen bijna niet bij van het lachen terwijl onze dode vader daar naakt en ontspannen lag. Zijn lijk schudde in het ritme van onze lach. Mijn broer hield hem vast bij de schouders toen hij lachte. Hij was net zo ontspannen als de eerste keer toen hij me meenam naar de bar en me leerde raki te drinken. Het was dezelfde dag dat ik van hem een roman van Yaşar Kemal in de handen gedrukt kreeg: 'Welkom in de wereld van volwassenen, bij de literatuur hoort sterkedrank en een goede sigaar', zei hij toen, hij nam een flinke slok en stak een sigaar in zijn mond. Hij keek me aan en liet de sigaar in zijn mond bewegen. Ik pakte de aansteker en stak zijn sigaar aan. Als ik dit aan Nederlanders vertel, kijken ze me wazig aan, ze kunnen het ongeloof in hun ogen moeilijk verbergen. Ja, ze willen het niet geloven. Niet iedereen is zo, maar de meesten wel. De meesten denken dat we de hele dag onze kont naar de hemel keren en met ons hoofd op de grond tot Allah bidden. Ik heb zelfs meer last van Nederlandse onverschilligheid en hun vooroordelen dan van de verschrikkelijke Turkse onderdrukking. Echt, ik zweer het. In het begin had ik dat niet, maar nu ik bijna twintig jaar hier ben, denk ik zo. Toen ik in Turkije was, dacht ik dat er geen enkel volk zo brutaal en slecht was als de Turken. Zelfs mijn Koerdische moeder strafte ons als we de Koerdische taal spraken. Ze moest niets weten van alles wat Koerdisch was. Ze wilde ons de vernederingen van Turken besparen. Kijk naar mijn haren. Ik scheer mijn hoofd bijna kaal. Dat komt niet omdat ik het modieus vind of aanhanger ben van de vermoorde Pim Fortuyn, nee, ik scheer me omdat ik een trauma van de school in Turkije heb overgehouden. De Turkse onderwijzer schoor met een tondeuse een lijn van het voorhoofd tot aan de nek van elke Koerdische leerling. Hij gebruikte onze hoofden als een levend schilderij dat op een straat leek waar aan beide kanten bomen staan, of op een maïsveld dat door een autoweg in tweeën wordt gedeeld. En we mochten de rest van onze haren niet scheren, minstens acht dagen moest ons hoofd een beboomde straat weergeven, of een maïsveld. Elke dag schreef die onderwijzer op het boord: 'Allah beschermt de Turken.' Die tekst moest de hele dag blijven staan. Op een dag schreef ik in de pauze, in kleine letters, onder zijn dominante tekst: 'En niemand beschermt de Koerden.' Toen hij dat las, werd hij rood, zijn gezicht leek op een ballon die opgeblazen wordt. Spuug spatte van tussen zijn kaken. Hij zakte door zijn knieën en viel bewusteloos op de grond. Ik haalde een flesje aftershave, dat ik van vader moest kopen, uit mijn tas, opende het flesje en spoot de aftershave in zijn neusgaten. Hij kwam niesend bij.

Mijn herinneringen aan Cemal worden onderbroken door de postbode die iets naar binnen werpt. Ik hoor de papieren op de deurmat ploffen.

Ik ren naar beneden – meestal haasten we ons samen, mijn vrouw en ik, naar de post en vechten erom. Ondanks dat Maria niet thuis is, ren ik. Een Gamma-reclame en een deftige envelop met zwarte rand liggen op de deurmat. Ik buk, raap de envelop op, draai hem een paar keer om en eindelijk open ik hem. Ik trek een kaart uit de envelop, vouw hem open en lees een uitnodiging voor de crematie van Maria Hellen Haasbroek, die op zesenveertigjarige leeftijd is gestorven. Ik steek de kaart weer in de envelop, loop naar de keuken en leg de envelop op de tafel. Ik staar uit het raam. De naam Maria Hellen Haasbroek komt me bekend voor. Ik meen te weten wie het is, die Maria Hellen Haasbroek, maar krijg een soort black-out. Opeens herinner ik me dat ik een bezwaarschrift naar de officier van justitie moet gaan schrijven en ik loop naar de computer in de woonkamer. Onderweg naar de computer krijg ik even een vreemd gevoel, alsof ik met ogen dicht in een schommel zit. Een stem fluistert: 'Jouw vrouw heet toch Maria Hellen Haasbroek?' Ik sta even stil in de woonkamer, weet niet wat ik moet doen. De naam Maria Hellen Haasbroek dreunt en galmt in mijn hoofd. Ik moet plotseling naar de wc en zet twee stappen, maar sta weer stil. De naam Maria Hellen Haasbroek galmt nu door het hele huis. Ik zie de telefoon, neem de hoorn in mijn hand en druk op het nummer van mijn vrouw, op haar werk. Haar warme stem op het antwoordapparaat zegt dat ze niet aanwezig is. Ik wacht tot de piep voorbij is en spreek in: 'Lieverd, bel me als je mijn boodschap hoort.' Ik hang op en ga achter de computer zitten om het bezwaarschrift in te tikken voor de officier van justitie van Eindhoven, die me ten onrechte een verkeersboete wil opleggen. Na het starten van de computer krijg ik de melding: 'U hebt 12 e-mails...' Ik download ze. 'Sterkte' en 'Gecondoleerd' zijn de titels van de meeste e-mails. Ik delete ze allemaal, die ongewenste e-mails. Een e-mail van de vrolijke Willem, de neef van mijn vrouw, trekt mijn aandacht. Hij is achtentwintig jaar oud, staat altijd positief in het leven en maakt vaak grappen. Hij schrijft: 'Zojuist heb ik van de specialist gehoord dat ik nog slechts twee maanden te leven heb. Dit is echt geen grap, hoor, jullie weten dat ik vorige week geopereerd zou worden. Het werd geen operatie maar een open-dichtspelletje. Ik begrijp er niets van. Ik voel niets, geen pijn, en ben erg energiek. Wie moet ik nou geloven: de dokter of mezelf?'

Ik ruik de dood en voel hem mijn schouders beetpakken, masseren. Ik wil de dood die ik in mijn mond voel, uitspugen, maar heb geen zin naar de wc of naar een wastafel te gaan. Ik slik mijn speeksel door. De dood sluipt in mijn ingewanden. Ik heb juist een paar dagen vrijgenomen om bij te komen van de stress. Heb ik vrijgenomen omdat ik stress heb of omdat mijn vrouw doodziek in het ziekenhuis lag?

Er zijn mensen die alleen maar pech hebben. Neef Willem is er een van. Zijn moeder pleegde zelfmoord toen hij vier jaar oud was, zijn vader was een agressieve alcoholist, maar Willem bleef 'positief' en deed er alles aan om de ziel van zijn moeder niet teleur te stellen. Hij overwon, misschien met zijn positieve instelling, de ene ziekte na de andere. Niet altijd kwam hij er heelhuids van af. Om de kanker te bestrijden moest Willem een groot deel van zijn maag laten verwijderen. Hij bleef lachen en plezier maken. Ook toen hij hoorde dat de kanker zich in zijn lever had genesteld, bleef hij positief en keek uit naar de dag van de operatie die hem de bevrijding zou brengen van de hardnekkige ziekte.

Ik blijf maar naar het beeldscherm staren. Ik kan geen bezwaarschrift tikken na de e-mail van Willem. Onze huwelijksfoto staat op mijn bureau. Maria is een beetje onscherp en ik zie er een beetje gepikeerd uit. Het komt omdat Maria per se haar meisjesnaam wilde blijven gebruiken. Ik vond het een soort afwijzing, nu ben ik erover heen. Toch als ik die foto zie, raak ik weer geïrriteerd en ik zie hem dagelijks.

Ik voel me opeens moe, erg moe. Ik loop naar de telefoon en trek hem uit het stopcontact, ik zet mijn mobiel ook uit en ga naar de slaapkamer. Daar blijf ik staan en ik vergeet wat ik kom doen, in de slaapkamer. Ik trek mijn kleren uit, kruip onder het dekbed en doe mijn ogen dicht. Ik ruik en voel Maria, ze ligt naast me, omhelst me en kust me: 'Slaap lekker, lieverd.'

Ik word wakker in het donker, de elektrische klok geeft drie uur na middernacht aan. Ik ga naar het toilet, leeg mijn blaas, kruip weer in bed en omhels mijn vrouw. We lopen samen in een gebergte, we komen bij een grot aan. Ze kruipt in de grot. Ik schreeuw dat ze moet terugkomen. Ze verdwijnt in het donker. Ik schreeuw en word wakker met hoofdpijn. Mijn slaapkamer baadt in zonlicht. Ik herinner me dat ik bijna vierentwintig uur geleden hier kwam liggen. Mijn vrouw ligt weer niet naast me. Ze lag toch de hele tijd hier, of verbeeld ik me dat?

Het gevoel van verlatenheid heerst in mij. Mijn linkervoet ontdoet zich van het dekbedovertrek, maakt dansende bewegingen en slaat met de toppen van de tenen op de matras.

Het is het enige ledemaat dat plezier heeft en goed wakker is. Mijn rechterhand steekt een paar keer onder het kussen en maakt wippende bewegingen. Lethargie in mijn binnenste wordt woest. Ik weet niet of ik wakker ben of slaap. De grens tussen deze twee rivalen is nog nooit zo vaag geweest.

Nog nooit voelde ik zoveel leegte om me heen. Nog nooit was mijn ziel zo moe. Ik draai me op mijn rechterzij en een stem stelt voor om naar erotische massage te gaan. Deze gedachte werkt als een defibrillator die mijn hart reanimeert. Ik krijg weer energie. Mijn linkerhand gooit het dekbed opzij en mijn lichaam wordt door honderden handen uit het bed geduwd. Ik sta plots naakt op het koude parket, dat in mijn voeten bijt. Mijn hoofd hangt op mijn borst. Mijn rechterhand pakt mijn overhemd. Ik trek het aan, raap mijn onderbroek van de grond en loop de slaapkamer uit. Op de trap trek ik mijn onderbroek aan.

Als ik de keuken binnen loop, zie ik het bericht van de dood nog steeds op de tafel liggen. Het bericht lacht me toe en wenkt als een hoer van achter haar raam. Ik loop met gebogen hoofd naar de tv, zet die aan en probeer de brief te negeren. Waar ik ook mijn blik richt, hij gaat langs de brief. Hij ligt midden op de tafel en de tafel staat midden in de keuken.

De brief zweeft voor mijn ogen. Mijn naam, getikt in zwarte letters, glimt op de witte envelop. Een onprettig gevoel bekruipt me. Mijn blik raakt in de war en staart naar buiten, zonder iets te kunnen zien. Dan grijpt mijn hand naar het overlijdensbericht en smijt het tegen de wand. Ik krijg meteen spijt, sta op, raap de kaart van de grond en leg hem weer op de tafel.

Heftig vuur woedt binnenin me terwijl ik 'rustig' naar buiten staar en een slok thee neem. Mijn vrouw zit naast me, neemt mijn rechterhand in haar handen, streelt en kust hem met haar zachte en warme lippen: 'Eet iets, lieverd,' fluistert ze, 'als je straks langskomt wil ik je charmante lach zien, en geen droevig hoofd.'

Ik doe alsof ik boos ben en zeg: 'Waar was je? Al drie dagen speel je verstoppertje met me. Ben je er wél of ben je er niet?'

De stoel naast me is leeg, de keuken is leeg, het huis is leeg.

Ik herinner me dat ik haar uit het ziekenhuis heb opgehaald, haar naar onze slaapkamer heb gebracht en haar in bed heb gestopt. Op dat moment keek ik naar de elektronische klok: halfdrie.

Mijn vrouw zit nu weer tegenover me, knipoogt met een charmante lach en vraagt of ik zin in seks heb. 'Altijd, dat weet je toch', zeg ik en ik ren naar boven. Op de trap doe ik mijn overhemd uit en gooi het weg. Mijn onderbroek volgt. Naakt kruip ik onder het dekbed en schreeuw: 'Schiet op, lief kalkoentje.' Ik hoor de stilte suizen. Ik wacht.

De stilte wordt verdrietig. Mijn vrouw is niet thuis. Ik ben een prooi van mijn visioenen, mijn bewustzijn heeft me in de steek gelaten.

Ik haast me weer uit mijn bed, raap mijn kledingstukken van de trap af, trek die aan, keer weer naar de slaapkamer terug, trek een broek aan, ga naar de woonkamer en zoek tussen de boeken naar iets. Ik sta stil en denk na over wat ik kwam zoeken. Ik hoef niet lang te peinzen, want ik vind de knipselkrant waarin de advertenties van de erotische massages staan. Het verzamelen van die erotische-massageadvertenties is een soort hobby geworden. Een illegale bezigheid, een taboe waaraan ik spanning beleef. Al jaren beoefen ik dit spannende avontuur. Niemand weet er iets van. Ik ben trots op mezelf, want normaliter vertel ik alles aan mijn vrouw, anders komt ze er zelf toch achter. Mijn ogen lopen langs die advertenties op zoek naar een massage met hoogtepunt, liefst een Thaise in Amsterdam. Veel mannen hebben voorkeur voor Thaise masseuses, niet omdat die dames zo nederig en gehoorzaam zijn maar omdat ze kleine handjes hebben.

Helemaal onderaan het knipsel zie ik een advertentie van een Thaise masseuse, maar ik voel iemand naar me loeren. Ik draai me om en kijk recht in de ogen van mijn vader. Hij kijkt kwaad naar me, alsof hij levend naast me staat en niet in een lijstje vastzit. Ik verfrommel het krantenknipsel met bevende handen. Mijn lichaam transpireert en mijn benen trillen. Ik krijg buikpijn, loop naar het toilet en ga er voor zitten.

'Niet in de ogen van de doden kijken, het zal je een trauma bezorgen', heb ik van mijn overleden oma gehoord toen ik klein was. Ik roep: 'Nee, oma, nee. Je hebt geen gelijk. De ogen van mijn vader spuwen nog altijd vuur. Als ik mijn vader dood had gezien en zijn ogen met eigen handen had gesloten was ik misschien nooit bang geweest voor zijn portret dat hem levend maakt en mijn leven teistert.'

Mijn vader keek graag naar vrouwenbillen en vermaakte zich kostelijk. Hij was niet vroom en vond de mollahs dom. Waarom hij na zijn dood streng en humorloos is geworden, weet ik niet. Zou het door jaloezie komen? Dat hij te jong gestorven is? Is hij boos omdat ik met een Hollandse vrouw getrouwd ben? Dat ik kinderloos ben? Ik weet het niet.

De eerste dode die ik in de ogen keek was Mirza, een vluchteling, net vijftig geworden.

Voordat Mirza naar Nederland kwam, bracht hij vijf jaar van zijn vluchtelingenschap in een vluchtelingenkamp in Pakistan door. Daar, in de straten van de ballingschap, liepen de vluchtelingen de hele dag rondjes door het kamp. Dat de mannen daar urenlang hand in hand wandelden, roddelden, scholden op alles en iedereen, was niet meer dan normaal. Mirza kwam samen met zijn neef naar Amsterdam, waar hij met hem, hand in hand, ging wandelen. Mirza leek op een Turk en zijn neef op een Marokkaan. De Nederlanders vonden het grappig en dachten dat ze getuigen waren van een revolutie in de allochtone cultuur. Ze dachten namelijk dat die twee mannen openlijk hun homoseksualiteit wilden presenteren. Mirza en zijn neef wisten niet waarom mensen naar hen keken en lachten. Toen Mirza en zijn neef erachter kwamen dat alleen homoseksuele mannen in Nederland hand in hand lopen, werden ze misselijk van de gedachte, maar lachten wel, als een boer met kiespijn. De twee mannen gingen nooit meer samen wandelen.

Door de ziekte van de juf op de taalschool moest ik mij in de klas van Mirza en zijn neef begeven. Ik ging tussen hen in zitten. Mirza was nerveus, kon zich niet concentreren en keek voortdurend naar de deur van het leslokaal. Door zijn nervositeit en zuchten raakte ook ik uit mijn concentratie. Mirza kreeg bijna een andere gedaante; zijn ogen werden rood, zijn neushaartjes en zijn baard werden langer, de aders van zijn behaarde handen werden dikker. Ik zag rook uit zijn neusgaten komen en was bang dat hij ernstig ziek zou zijn. Op dat moment ging de deur van het leslokaal open. Een jonge Latijns-Amerikaans uitziende cursiste kwam binnen. De ogen van Mirza sprongen bijna uit hun kassen. 'Kom dan, schat, dat we je mogen neuken', zei hij in zichzelf maar voor mij wel hoorbaar. Ik kon mijn lach niet verbergen. Mirza schrok en dacht dat ik zijn gedachten hoorde.

Gelukkig waren mijn gedachten niet hoorbaar tijdens zijn begrafenis. Zijn lijk lag op een bevroren ochtend op de grond, de mollah las een soera uit de Koran. De menigte stond in de kou te bibberen met overdreven trieste maar wel lachwekkende gezichten. Zulke valse gezichten kunnen mij niet onberoerd laten, maar het was ongepast om te lachen. Omdat ik een lach die naar boven kwam borrelen wilde tegenhouden, deed ik mijn kaken stevig op elkaar, hield mijn adem vast, deed mijn ogen dicht en ademde door mijn neus. Bij het uitblazen door mijn neus kwam er een snottebel uit die ontplofte boven mijn mond. Ik pakte mijn papieren zakdoekje en snoot mijn neus leeg. Op dat moment hoorde ik de stem van Mirza luid en duidelijk de beroemde zin van een aantal jaar eerder articuleren: 'Kom dan schat, dat we je mogen neuken.' Ik deed mijn ogen open en keek in de uitgedoofde ogen van Mirza, die naar het oosten gericht waren.

Nog geen twee maanden later maakte het Midden-Oosten een ramp mee: honderdduizenden doden en miljoenen op de vlucht.

'De blik in de uitgedoofde ogen van mensen die ongelukkig gestorven zijn, voorspelt rampspoed', dat is een gezegde in de oosterse cultuur.

Ik voel pijn in mijn dijen en besef dat ik al heel lang op de wc zit. Ik zie dat ik in de *Kampioen* kijk. Ik zie helder de mooie ogen van Ida, met wie ik tien jaar geleden naar Afrika zou reizen. Ida heb ik via een krantenadvertentie leren kennen. Ze was op zoek naar een vakantiepartner. Ik zat in de knoop met mijn leven en dacht dat een reis naar Afrika kon helpen. Ik belde haar en maakte een afspraak. Ik mocht bij haar thuis in Weesp langskomen. Haar vriend ontving mij in hun grote voortuin, zei dat zijn vriendin onder de douche stond en nodigde me uit te gaan zitten.

Een paar minuten later kwam Ida uit de badkamer met haar natte krulharen, gaf me een hand en zei: 'Ik ben Ida.'

Haar hand voelde warm en zijdezacht. Een mooie glimlach sierde haar mond: 'Koffie?' Haar ogen straalden geluk uit. Ze ging in een tuinstoel zitten en deed haar rechterbeen over haar linkerbeen. Ik wilde dat mijn ogen niet naar haar blote dij keken, maar ze gehoorzaamden me niet in zulke gevallen. We spraken af onze reis twee weken later te beginnen.

De volgende ochtend zat ik achter mijn bureau. De telefoon ging. 'Met Joris de Jong, ik ben de vriend van Ida', zei de stem droog en zakelijk. 'Ik moet u melden dat uw reis met Ida niet door kan gaan.'

'Oké, maar mag ik vragen waarom niet?' zei ik. Ik zag weer haar mooie dij toen ze een dag eerder in haar tuinstoel in Weesp zat. Ik dacht dat hij niet wilde dat zijn vriendin met een allochtoon op vakantie ging. 'Ida is vannacht overleden.'

Ik kon niet geloven wat ik hoorde.

'Sorry, wat zegt u?' zei ik bijna onhoorbaar.

'Mijn vriendin is vannacht overleden', bevestigde hij met een iets luidere stem.

'Wat erg... Ik kan het niet geloven, zo'n jong iemand...'

Hij onderbrak me en zei: 'Het spijt me, maar ik moet verder haar begrafenis gaan regelen. U krijgt een uitnodiging als u dat op prijs stelt.'

Na de dood van Mirza had ik me voorgenomen niet meer in de ogen van doden te kijken, maar de lachende ogen, de natte krulharen van Ida die mij niet loslieten en tussen mij en mijn vrouw zweefden, hebben me op andere gedachten gebracht. Ik besloot naar de kerk te gaan om afscheid van Ida te nemen. En daar lag ze dan in een mooie kist, haar natte haren waren droog, de wangen rimpelig en de kleur bleek. Ze leek wel op iemand die honderd jaar oud is. Ik was er toen van overtuigd dat de tijd inderdaad relatief is. Gelukkig had iemand haar ogen dichtgedaan.

De herinneringen aan dode kennissen houden aan; het

lijkt of ze in een lange rij staan wachten op een plekje in mijn geheugen.

Tussen die doden wringt zich de onrechtmatige en onrechtvaardige boete die de officier van justitie van Eindhoven mij opgelegd heeft.. Ik wil aan het bezwaarschrift gaan werken, loop weer naar de woonkamer en ga achter de computer zitten, die sinds gisteren aanstaat. Ik schrijf een paar woorden en schrap ze weer. Ik zie een paar uitnodigingen voor de crematie op mijn bureau liggen en schrik. Ik weet zeker dat ik er maar één heb gekregen en die ligt in de keuken. Hoe heeft de rouwkaart zich vermenigvuldigd? Hoe komen al die kaarten op mijn bureau, in mijn woonkamer? Zijn er spoken in mijn huis? Ben ik soms gek aan het worden? Ik zie de kaart op hetzelfde moment dat ik de telefoonkabel uit het stopcontact haal en doe hem er meteen weer in. 'Misschien heeft Maria gebeld', zeg ik bijna hoorbaar tegen mezelf. De telefoon rinkelt. Ik neem de hoorn op en zeg 'hallo' met een lage basstem. Ik neem altijd de telefoon op met 'hallo'. Ik zeg nooit mijn naam bij het opnemen van de telefoon. Het is een gewoonte. 'Hallo' vind ik fijner klinken. Ik zeg niet 'hallooo' maar iets tussen 'hello' en 'ello'.

Ik hoor een zwakke stem 'ello' zeggen. Ik herken meteen de stem van mijn nichtje uit Irak. Na een paar keer 'hallo' (dat eerder als 'ello' klinkt) over en weer gezegd te hebben en de langdurige formaliteiten van 'álles goed', 'met jou', 'jouw kinderen', 'jouw ouders', enzovoort, enzovoort zeg ik: 'Is er iets?' Haar stem klinkt ernstig en zwaar, lichtelijk in de war.

– 'Ik wilde je eigenlijk niet ongerust maken, maar ik had gehoord dat je het wist.'

– 'Wat wist ik?'

– 'Over de rellen waarbij mijn man aan het hoofd is geraakt.'

– 'Wat zeg je nou?'

– 'Ja, er waren rellen in onze stad. Demonstranten...'

– 'Is hij dood?'

– 'Niet officieel.'

– 'Is hij dood of niet?'

– 'Hij ligt op intensive care.'

– 'Kan hij praten?'

– 'Nee, natuurlijk niet. De kogel sprong uit zijn oog.'

– 'Welk oog?'

– 'Het linkeroog is met de kogel uit de kas gesprongen.'

– 'Hij ligt dus in coma?'

– 'Coma, wat is coma?'

– 'Bewusteloos.'

– 'Ja.'

– 'Kunnen ze hem niet naar het buitenland sturen?'

– 'Nee, hij ligt aan de beademing en als ze die loshalen gaat hij dood.'

– 'Wat wil je dat ik doe?'

– 'Ik mag niet in het ziekenhuis bij hem komen.'

– 'Je wilt afscheid nemen?'

– 'Ja.'

– 'Zal ik je vader bellen?'

– 'Als het geen moeite is.'

– 'Ik bel hem direct.'

– 'Oom, je hoeft niet te komen, je hebt het zeker druk.'

– 'Ik ga jouw vader bellen, kus jouw kinderen van me en sterkte.'

Toen mijn nichtje het over de intensive care had, zag ik Maria doodziek in een bed in het ziekenhuis liggen. Ik herinner me weer het moment waarop ik haar na middernacht naar huis bracht. De telefoon rinkelt. Ik staar ernaar, neem niet op. Ik loop naar mijn bureau en wil het bezwaarschrift gericht aan de officier van justitie in Eindhoven gaan schrijven. De afstand tussen de telefoon en de computer is nog geen drie meter. Halverwege die afstand zie ik de ogen van Maria bevriezen, ik zie haar hand in mijn hand stil worden. Ik ga achter de computer zitten. De hand van Maria ligt koud in mijn hand. Ze ligt stil, bewegingloos in bed. Op het computerscherm zwemmen de ogen van Mirza, van Ida, van de echtgenoot van mijn nichtje en van Maria, mijn vrouw.

Ik schrik alsof ik plots een klap krijg.

Ik grijp naar de rouwkaarten op mijn bureau, sta op, loop naar het midden van de kamer en blijf stilstaan.

Ik lees de naam van de overledene Maria Hellen Haasbroek, van mijn vrouw dus. Ik vergeet altijd dat ze een tweede voornaam heeft, dat ze ook Hellen heet. De naam Haasbroek wilde er bij mij niet in. Ze wilde mijn naam niet als haar naam aannemen. Voor mij was haar naam niet uit te spreken. Wie noemt nou zich Haasbroek?

Op alle kaarten staat dat Haasbroek gecremeerd zal worden. Ik hoor Maria met een verwijt in haar stem zeggen: 'Kom je nog, ze gaan me verbranden!' De telefoon rinkelt weer. Ik neem op en zeg: 'Ello.'

'Waar blijf je nou, man? Kom je nog?' Ik herken de stem van mijn zwager, die door de telefoon geïrriteerd schreeuwt. 'Waar is het crematorium, ik ben even vergeten waar het is.'

'Lees de kaart man, alles staat op de rouwkaart, schiet op. Iedereen wacht op je.'

Ik hang op.

Ik zie de ogen van Maria bevriezen, haar hand wordt stil in mijn hand en haar hoofd hangt scheef over haar rechterschouder.

Hete lucht vult mijn longen die naar lucht willen happen, ik ben uitgeput, mijn benen trillen, mijn handen laten de kaarten los. Ik stort neer.

Ik geniet van de huilbui die als een vulkaan tot uitbarsting komt.

'Niet huilen, jongen, wat ben jij nou voor een man', zegt mijn vader woedend. Ik zie hem vanaf de hoge plank op me neerkijken.

Ik schaam me, voel me klein, zwak en stop abrupt met huilen.

Vamba Sherif

Het witte laken

1

Iemand vroeg of er in de menigte een *haidarah* aanwezig was. Omdat zijn ouders afwezig waren, op bezoek bij familieleden in hun land van herkomst, stak de schrijver Mansakeh zijn hand op. 'Dan moet je het gebed voor de overledene leiden', werd hem opgedragen. Het voorval vond plaats in een flat in de Bijlmer terwijl buiten de vroege lentezon fel scheen.

Ondanks de aanwezigheid van een imam van de plaatselijke moskee was de eer hem te beurt gevallen, omdat hij een haidarah was, een nakomeling van de profeet. Bovendien was de overledene, zijn oom, ook een haidarah. Maar hoe kon hij de volle kamer uitleggen dat hij van de hele islamitische traditie vervreemd was, dat hij amper naar de moskee ging en zelden bad? Het Arabisch dat hij kende uit zijn jeugd en dat hij met zijn ouders uit Liberia had meegenomen was door de jaren heen versleten als een stel oude kleren. Hij was noch het Arabisch noch zijn eigen moedertaal (Mandingo en andere talen van zijn land van herkomst) meer machtig. Maar dat was niet wat hem het meest zorgen baarde op die dag. Hij was vooral bang dat hij, als hij voor de dode stond, de moed niet zou hebben om te bidden, en dat hij zou eindigen met het vervloeken van degene tot wie hij geacht werd te bidden: God. Zijn geloof wankelde alsmede zijn gehele gemoedstoestand.

Om hem heen klonk het zachte maar aanzwellende gezang van stemmen met verzen uit de Koran: 'We zijn van God en tot hem zullen we terugkeren.' De dreunende stemmen van de aanwezigen, een mengeling van Afrikanen en Nederlanders, maar ook een paar Arabieren, gingen langzaam omhoog, sober en plechtig. Ze verteerden zijn hart. Mansakeh kon niet geloven dat zijn oom, het stoffelijk overschot dat daar in die grijze kist lag – een overblijfsel van een vernietigende ziekte, een man die gekrompen was tot een samenstelling van magere botten en weinig vlees – dat hij er niet meer was. 'Haidarah, we wachten op je', zei iemand. Hij stond op, naderde de kist met zijn oom en deed wat hij eigenlijk niet had moeten doen: de witte lijkwade die zijn gezicht bedekte opzijschuiven. Een droog gezicht met een dunne laag van tevredenheid, alsof het eindelijk rust en vrede had, begroette hem. De lippen, vooral de rode onderste, waren voorgoed stil. Die lippen die hij wanneer hij iets serieus wilde zeggen, of als hij een besluit had genomen of boos werd telkens bevochtigde, over en weer, terwijl de woede zijn gezicht vertekende.

Zo had de oom hem, toen Mansakeh klein was, betrapt terwijl hij de familie-erfenis, een manuscript van honderden jaren oud, bestudeerde. Dat was in Afrika. 'Een kind hoort zo'n boek niet te lezen. Het maakt je gek, naamgenoot van mijn vader. Schandalig.' Hij begon die lippen te likken, alsof ze de bron van zijn woede waren, en hij maakte zo'n grote heisa van die gebeurtenis dat de hele familie zich verzamelde om Mansakeh te straffen. Hij werd gegeseld, twintig zweepslagen voor een kind dat nog geen tien was. Hij werd vernederd en zon op wraak.

Hij beloofde zichzelf om zijn oom, voor wie hij nu moest bidden, voor altijd te haten. De belofte had hij nog lang gehouden. Hij had zelfs allerlei scenario's bedacht hoe hij die oom zou doden. Of vergiftigen. Hij las een vers uit de Koran dat naar men dacht de kracht van een donder bevatte. Stiekem, terwijl hij het vers en de naam van zijn oom steeds herhaalde, blies hij op zijn ooms avondmaal. Mansakeh wachtte tot de grote gebeurtenis zou plaatsvinden. In gedachten zag hij al hoe zijn oom na het eten trachtte het verstikkende effect te voorkomen door zijn hand rondom zijn nek te brengen, maar uiteindelijk viel hij voorover en was hij op slag dood. Die avond stond Mansakeh onder een mangoboom in het halfdonker, terwijl de generator in de verte dreunde, te wachten op het moment, terwijl zijn oom hem verhalen vertelde over de zaken die hij deed in dorpen rondom hun eigen dorp. Zijn oom at, genoot met volle teugen van ieder hapje, totdat het bord leeg was. Maar hij viel niet dood neer. Sindsdien en totdat hij volwassen werd en beter wist, geloofde hij dat zijn oom van ijzer was, onverslaanbaar, of dat hij een beter vers van de Koran kende dat ieder kwaad, inclusief gif, kon afweren. Zijn liefde voor zijn oom was altijd een mengeling van angst en respect geweest. Of was er nog iets van de haat gebleven, vroeg Mansakeh zich nu af terwijl hij plaatsnam voor zijn oom.

Sommigen volgden zijn voorbeeld. Hij begon op mechanische wijze te bidden, terwijl de tranen ieder vers verzwakten en verpauperden totdat hij niet meer in de woorden geloofde. Hoe kan ik bidden als ik het gewicht van de woorden niet eens op mijn schouders voel, dacht hij. Zijn twijfels en zijn verdriet kwamen erover als een vertoon van diepe treurnis. En de vrouwen die dat snel oppikten achter in de kamer, waar ze stonden te bidden, begonnen te snikken en te jammeren, totdat het gebed bijna een fiasco werd.

2

Zijn naam was Tonkara. Hij kwam in hun leven op het moment dat Mansakeh meer dan ooit vervreemd begon te raken van zijn ouders. Zijn vader, ooit een islamitische geestelijke, een bijzondere man in hun land van herkomst, bleef altijd met zijn gedachten in het Afrika dat hij twintig jaren daarvoor had verlaten. Zijn moeder, Sebah, was inmiddels een heldin geworden: in iedere discussie over vrouwen in de islamitische wereld, over vrouwenbesnijdenis, over de achterstand in de allochtonenwijken en aanverwante zaken werd Sebah altijd door de media naar voren gehaald als een voorbeeld van een geslaagde allochtoon, een verlichte denker, een Voltaire onder de vrouwen. Sebah, mooi, intelligent en welbespraakt, betoverde zowel de mannen als de vrouwen van haar nieuwe wereld. Maar zij kon haar eigen wereld niet betoveren. Ze slaagde er niet in haar man en kind te overtuigen van de noodzaak van haar handelingen. Totdat Tonkara op het toneel verscheen. 'Waarom laten jullie Europa jullie huwelijk kapotmaken, terwijl Europa gewoon zou blijven als jullie er niet meer zijn?' Hij was boos. Zijn lippen trilden en hij bonkte met zijn handen op de eettafel, terwijl Mansakeh en zijn ouders met gebogen hoofden naar hem zaten te luisteren. 'Wat je doet is bijzonder, Sebah', zei hij en hij keek recht in haar ogen. 'Maar succes binnen de vier muren van dit huis is ook heel bijzonder.' Hij stond op, alsof hij niet kon geloven wat zijn ogen zagen in die wereld van de haidarahs van Europa. 'Wat is er van jullie geworden in dit land? Waarom zoveel haat? Ik ben gevlucht voor de oorlog en naar jullie gekomen met de gedachte dat ik met jullie in vrede zou leven, niet wetende dat ik in een leeuwenkooi zou belanden. Wat moet dit voorstellen?' Tonkara trapte hard op de houten vloer van de ouderlijke woning. De pijn in zijn gezicht was zo duidelijk

dat Mansakeh dacht dat het of toneel was of een hartver-
scheurende vertoning.

Toneelspelen hoorde bij zijn cultuur, dat wist Mansakeh
nog na al die jaren. Misschien dat het schouwspel van zijn
oom een manier was om de familie bij elkaar te brengen, dat
het verdriet eigenlijk nep was. Totdat zijn oom iets deed wat
Mansakeh, iedere keer als hij erover dacht, de rillingen over
zijn rug deed lopen. Hij richtte zich tot zijn broer en zijn
vrouw en zei: 'Ik zal dit huis nooit meer betreden als jullie
elkaar zo blijven haten.' Met deze woorden pakte Tonkara
zijn spullen bij elkaar en keerde terug naar het asielzoekerscentrum, waar hij enkele maanden daarvoor met zijn jonge
vrouw asiel had aangevraagd.

Tonkara hield het vol, hij liet niets van zich horen. Tradi-
ties blijven het leven van mensen bepalen. Ondanks het feit
dat Mansakeh en zijn ouders jarenlang in Nederland woonden, ver weg van Afrika en zijn verplichtingen, en het feit dat
ze op meer dan één manier voorgoed veranderd waren door
het leven in een andere cultuur, werden ze dit keer weer door
hun oude traditie geraakt: families hoorden bij elkaar te
zijn. Sebah maakte er werk van, zoals zij dat deed met alles
in haar leven, om haar zwager op andere gedachten te
brengen. Ze bracht een bezoek aan het asielzoekerscentrum.

Ze was zo onthutst over het leven van de asielzoekers dat
ze er een politieke zaak van maakte. Al snel werd ze gezien
als de voorvechtster van de asielzoekers. Ze had het over de
eenzaamheid, die de zielen van de mensen verteerde, over
het jarenlang wachten op een antwoord van de overheid,
over de nalatigheid van de ambtenaren, de slordigheid van
de advocaten, en over de onmenselijkheid van de mensen
die het asiel moesten verlenen. Na ieder bezoek aan haar
zwager maakte ze een aspect van het leven in het centrum

bekend. Maar Tonkara veranderde niet van gedachten, alsof hij wachtte op iets wat Sebah had nagelaten.

3

De begrafenisondernemer was iemand van weinig woorden. Hij kwam op de dag van Tonkarahs dood gekleed in een pak, met een zware tas in zijn hand. De aanwezigheid van zoveel allochtonen en zoveel kleuren van zo dichtbij bracht hem van zijn stuk, alsof hij in een vreemde, haast exotische wereld was beland, ver weg van zijn vertrouwde wereld. 'Er is een probleem', lukte het hem te zeggen, de gezichten met de vertrokken monden ontwijkend. Er heerste een grote stilte in de kamer. Veel van de mensen in de kamer handelden dagelijks met blanken, maar vaak waren de handelingen beperkt tot de werkvloer, waar weinig werd gezegd, waar vriendschap schone schijn was, en als die al bestond vaak verdacht was.

In die wereld van de Bijlmer, was de aanwezigheid van een blanke in een pak in een kamer zoals deze woonkamer, een teken dat er een probleem was. Dat werd gestaafd door zijn uitspraak. De rouwdragers verzamelden zich rondom de man, die zijn das los deed. Maar dat hielp niet: zijn gezicht bleef jeuken en hij voelde dat hij verstikt werd door zoveel menselijke geuren. Omdat hij het niet meer aankon, stond hij op. 'De verzekering van de overledene was beperkt.' De man liep richting de deur, alsof hij wegging – hij was inderdaad al bereid om weg te gaan, te vluchten voor al die woede, toen de stem van de weduwe van de oom klonk: '"Beperkt"! Meer dan tien jaren van maandelijkse betalingen en jij hebt het over "beperkt"? Leg dat maar eens uit, meneer.' Ze liep naar de man toe. Verdriet had plaatsgemaakt voor woede. Haar gitzwarte haar glinsterde van het zweet. De man kon haar ruiken: een mengsel van zeep en iets aangenaams maar heel vreemds. De man dacht dat zij met haar woede in staat was hem in elkaar te slaan, deze vrouw had de kracht van een man. 'Jullie willen hem begraven in Afrika, maar de verzekering heeft een beperkte dekking, Afrika is daarbij niet inbegrepen.' Hij zei deze woorden alsof hij gedwongen was om ze te zeggen, en hij wilde weg, maar de afstand tussen hem en de deur leek opeens erg groot. Hij dacht dat hij na die dag misschien zou stoppen met deze baan, maar realiseerde zich dat hij thuis een gezin had dat afhankelijk van zijn inkomen was. 'Mijn man betaalde het viervoudige van wat normaal was, omdat hij in de eerste jaren al dacht dat hij misschien de ziekte niet zou overleven. Toen hebben jullie ons verzekerd dat als het zover was de verzekering alles zou dekken.' Ze was zo dichtbij de man dat hij in zijn stoel zakte; haar wijsvinger bleef maar bewegen voor zijn gezicht, alsof zij hem vermaande. De begrafenisondernemer voelde zich klein worden, en de onaangename geur van al die mensen was ondraaglijk.

Mansakeh probeerde zijn tante weg te halen, maar zij barstte in tranen uit en gilde alsof haar man was overleden door toedoen van de begrafenisondernemer. 'Ik ben maar een zielig mens, zonder enig recht in dit verdoemde land. Mijn man is dood, en moet ik nu in plaats van hem goed herdenken mij ook nog zorgen maken over hoe ik hem kan begraven?' Haar stem klonk boven die van iedereen uit, en niemand deed iets om haar tot stilte te brengen. 'Het is genoeg', waagden sommigen te zeggen, terwijl zij juist degenen waren die haar aanmoedigden om haar verdriet de vrije loop te laten. Ze begon een klaaglied te zingen in haar eigen taal over het lot van een vreemdeling in een moeilijk, ongastvrij land, waar regels belangrijker waren dan mensen. 'Mansakeh, jij bent de schrijver', zei ze eindelijk, en ze hield hem bij de armen. 'Jij kent de wereld van deze mensen, zorg dat alles geregeld wordt.' Toen viel ze op de grond en gilde zo hard dat iedereen even de dode en de begrafenisondernemer vergat en alle aandacht op haar richtte. Mansakeh probeerde haar overeind te houden, maar ze viel in zijn armen en liet haar verdriet de vrije loop. Ze leek tenger in zijn armen, verslagen.

De begrafenisondernemer, die nog nooit in zijn leven zo'n vertoon van emoties had gezien, benaderde de rouwende vrouw en probeerde haar tot kalmte te brengen. 'Raak mij niet aan, vuile sukkel!' Opeens stond ze op, ze rukte zich los uit Mansakehs armen en viel op de begrafenisondernemer. Overdonderd belandde de man op de vloer en dacht dat hij de dood in het wit van haar vurige ogen zag. Hij riep om hulp. Het lukte Mansakeh en de anderen de man uit de greep van zijn tante los te krijgen. De kamer was in rep en roer. Iedereen begon elkaar te beschuldigen van nalatigheid, van het aanmoedigen van de weduwe.

Te midden van de verwarring nam Mansakeh de begrafenisondernemer mee naar een andere kamer. De man zweette, zijn kleren waren gekreukt, hij was zijn das kwijt. 'Verdomme, ze heeft mij bijna gewurgd!' Het duurde even voordat hij kalm werd en kon praten. Hij bleef maar naar de deur kijken, bang de weduwe weer te zien. 'De verzekering die je oom had afgesloten is echt niet genoeg om de dure reis naar Afrika te maken. Je moet een manier vinden om het probleem op te lossen', zei hij tegen Mansakeh, alsof hij voortaan verantwoordelijk was voor zijn ooms familie en drie kinderen. Mansakeh zuchtte. Er was maar één manier die hij kon bedenken, en hij zag al hoe moeilijk het zou zijn die uit te voeren.

4

Sebah deed eindelijk wat Tonkara van haar had verwacht. Ze nam haar man mee op haar volgende bezoek aan hem in het asielzoekerscentrum. 'Kom thuis', zeiden ze beiden tegen Tonkara in aanwezigheid van Mansakeh. Hij knikte. Zijn vrouw, zo tenger en klein dat Mansakeh dacht toen hij haar voor het eerst zag dat zij jonger was dan hij, was zwanger van hun eerste kind. In al die jaren was ze een afwezig mens, naar de achtergrond geduwd door de luidruchtige aanwezigheid van haar man. Het was haar man die alles zei en alles deed, en vaak was Mansakeh benieuwd naar haar eigen leven. Maar ze was zwijgzaam, en als ze iets zei, bleef dit beperkt tot een paar zinnen.

Hun leven in de eerste jaren was verdeeld tussen het asielzoekerscentrum en thuis bij Mansakeh zijn ouders. Mansakeh – die langzaam carrière aan het maken was in de wereld van de literatuur – zorgde ervoor dat hij vaak aanwezig was als zijn oom op bezoek was bij zijn ouders, omdat hij zich meer dan ooit bewust was dat zijn oom de schakel vormde tussen zijn verleden, Afrika, en zijn heden, Nederland.

In die eerste jaren werd zijn cynische visie op de wereld veranderd door zijn oom. 'Weet je wat het grootste probleem is tegenwoordig?' vroeg hij zijn neef eens. 'Het onvermogen van velen om anderen te begrijpen.' 'Kijk naar de moslims', zei hij een keer. 'Ze zijn alleen bezig met het verleden, waarin ze ooit iets betekenden, alsof ze bang zijn voor het heden, alsof ze het niet begrijpen. Is het onmacht, vraag ik me af, die sommigen drijft tot het verheerlijken van het verleden? Als je naar de huidige situatie kijkt, zou je haast concluderen dat die grote bijdragen van de islamitische wereld aan de menselijke beschaving allemaal fictie waren.'

Tonkara was de jongste aan de kant van zijn vader, een

groot geleerde. Hij kende voor zijn dertiende de Koran al vanbuiten, begreep de Hadith van de profeten en de verschillende interpretaties daarvan. 'Mensen maken het geloof moeilijk voor henzelf, Mansakeh. Waarom moet je je tegen je buurman keren zonder eerst een poging te doen zijn wezen te begrijpen?' vroeg hij dikwijls. En Mansakeh kon niet geloven dat mensen als zijn oom nog bestonden. In die periode zouden de woorden van zijn oom zijn creativiteit beïnvloeden, zo zeer dat hij het leven zag als een kostbaar bezit waarvan ieder moment benut moest worden.

Tonkara was een harde werker. In de eerste jaren, toen hij de verblijfsvergunning kreeg, werkte hij aan de wegen, in de kou, om te zorgen voor zijn familie. Hij klaagde nooit maar aanvaardde zijn lot als vreemdeling in een andere wereld: een man die alles kwijt was en opnieuw ergens anders moest zien te overleven. Uiteindelijk belandde hij in een verffabriek. 'Het werk in die fabriek heeft hem zijn leven gekost', zei zijn weduwe tegen Mansakeh. 'Al die chemische stoffen! Iedere keer als je oom hoestte, was het met bloed. Maar hij verborg het, zoals hij ieder verdriet in zijn leven verborg, om ons niet te belasten met zorg over hem. Hij verborg het zo lang totdat het te laat was, Mansakeh.'

Iedere keer als Tonkara een bezoek bracht aan zijn huisarts kreeg hij te horen dat er niks ernstig aan de hand was, totdat hij op een dag tijdens het eten met zijn familie buiten bewustzijn raakte. In het ziekenhuis, waar Mansakeh hem een bezoek ging brengen, richtte hij zich tot hem en zei hij op een plechtige toon, alsof hij afscheid aan het nemen was: 'Jij moet voor mijn gezin zorgen, naamgenoot van mijn vader. Jij kent deze wereld. Jij hebt hier gestudeerd en naam gemaakt. Zorg voor mijn gezin als ik hier niet meer ben, beloof het me.' Mansakeh beloofde het hem. 'Nee, je moet op de Koran zweren dat je hen niet in de steek zal laten.'

Mansakeh deed wat zijn oom van hem vroeg, maar stelde hem gerust dat het niet zo ver zou komen.

Het kwam niet zo ver die ene keer, en zijn oom herstelde van zijn ziekte. Maar hij herstelde niet helemaal; de klachten bleven aanhouden.

Jaren later, op een lente-ochtend, toen hij de hele nacht had geschreven en in de kleine uren in slaap was gevallen, werd Mansakeh wakker van het bericht dat zijn oom was overleden. Zijn vrouw en twee van zijn drie kinderen waren op de nacht van zijn dood niet aanwezig. De klachten, waaronder inwendige bloedingen, begonnen in de slaapkamer. Tonkara had zijn jongste zoon, die hij niet wilde laten schrikken, met rust gelaten, en hij had zich naar de telefoon gehaast. Maar het was hem niet gelukt de nummers te draaien. Op dit punt was hij al bloed aan het spugen in grote hoeveelheden. Het lukte hem wel naar buiten te gaan en hij bonkte op de deur van de buurman. Maar de Bijlmer is een plaats waar midden in de nacht de deuren voor iemand nooit worden geopend. Hij liep de trappen af, ging naar de auto om naar het ziekenhuis te rijden, een spoor van bloed achterlatend. Het bloedspoor zou de buren de volgende ochtend naar hem leiden. In de auto was hij gestorven.

'Ik hoorde hem', zei de buurman later, zichzelf verwijtend dat hij de deur niet had opengedaan. 'Ik hoorde hem bonken op de deur, maar ik heb in al die jaren dat ik hier woon de deur nooit opengedaan voor iemand op die tijd in de nacht. Wat een wereld!'

Mansakeh zou later de details uit de verhalen van de buurman en van anderen horen. Nooit in zijn hele leven had hij gehuild om een verlies. Hij nam de trein, en in de meer dan twee uren dat het duurde om zijn oom te zien, herhaalde hij in gedachten de momenten die hij met zijn oom samen had doorgebracht. Voor eens en voor altijd zou de schrijver zich bewust zijn van de betekenis van een verlies, en van de dood, als een akelige aanwezigheid die voortdurend de scepter over zijn bestaan zwaaide, zijn hele werk beïnvloedend.

5

Mansakeh benaderde de imam en de oudsten in de kamer. Samen bogen ze zich over het probleem van de begrafenis. Uiteindelijk besloten ze dat de wens van de dode ondanks alles toch moest worden vervuld. Hij moest in Afrika begraven worden. Maar hoe? De begrafenisondernemer was uit zijn lijden verlost; hij was al lang weg. Toen hij de lentezon weer in zijn gezicht voelde, dacht hij dat hij goed had gehandeld en niet door emoties was overmand. Er werd besloten dat iedereen wat geld zou bijdragen aan het vervoer van Tonkara naar zijn land van herkomst. Mansakeh en zijn tante zouden de dode naar Afrika vergezellen. Dit was zijn eerste bezoek aan zijn land van herkomst sinds hij met zijn ouders naar Nederland was gekomen. Binnen twee dagen werd alles geregeld. Mensen waren vrijgevig en er werd zoveel geld verzameld dat besloten werd dat de drie kinderen hun vader ook zouden vergezellen.

Onderweg naar Afrika, in het vliegtuig, terwijl Mansakeh haar hand vasthield, kreeg hij eindelijk de kans zijn tante te horen praten over haar leven met zijn oom. 'Hij was een levensgenieter, hij hield van muziek, van alle soorten muziek. Ook van eten. Afrikanen kwamen geregeld bij ons over de vloer, waar ze de beste Afrikaanse gerechten kregen voorgeschoteld. Ze kwamen ook voor de muziek. Je oom wist de plechtigheid van het geloof te combineren met de lichtheid van het bestaan; hij hield van het leven.' Opeens was zij stil, en ze keek naar Mansakeh met een glimlach in haar ogen.

'Ik weet nog', zei ze, 'dat soms, in de eerste jaren, je oom binnen kwam rennen, het leven meeslepend. Dan nam hij ons mee naar het restaurant, een van de duurste in Amsterdam. Ik maakte me zorgen over geld, maar hij wuifde het weg door te zeggen: "Ik werk zestig uren per week om voor jullie te zorgen. Nou, bestel maar, en geniet van dit moment." We waren dan op ons paasbest gekleed, hij in een duur pak, ik in een jurk waarmee hij me die avond had verrast. Het met behendigheid verlichte restaurant maakte onze gevoelens voor elkaar weer wakker, en ik moest altijd denken aan het meisje dat geboren was in een dorp dat niet eens op de landkaart te vinden is. Het meisje dat nu aan de andere kant van de wereld in een luxe restaurant tegenover een man zat die haar met begerige ogen aankeek, en ik moest dankbaar zijn, voor dat moment, voor die man, en voor mijn prachtige kinderen. Even vergat ik dat we later, aan het eind van dezelfde avond, weer de auto of de metro in moesten naar de wereld van de Bijlmer, waar je soms 's nachts wakker werd van het geluid van een pistoolschot.'

Ze praatte alsof zij een reis aan het maken was door het verleden, met zachte stem, ver in gedachten verzonken. 'Je moet nooit voor iemand je geluk opofferen, Mansakeh', ging ze verder. 'Ze zeggen dat de doden moeten worden herinnerd door alleen maar mooie momenten op te roepen. Ze zeggen dat we nooit iets slechts over de doden moeten zeggen. Maar je oom was geen makkelijk mens. Zijn woedeuitbarstingen hebben me uiteindelijk kapotgemaakt, hebben een mens zonder enig zelfvertrouwen van me gemaakt. Ik ging door het leven met mijn hart vol onzekerheid – over alles, inclusief het zorgen voor mijn eigen kinderen. Zijn woede had van mij een labiel mens gemaakt. Je zou niet geloven dat een man die in staat was zoveel liefde te tonen op manieren waarvan je zou denken dat het haast goddelijk was, dat hij tegelijk hard kon zijn als een steen. Maar dat was je oom, Mansakeh. Hij was, om te beginnen, jaloers. Hij liet me niet genieten van mijn jeugd, en ik heb hem verspild door mijn poging hem te behagen, en door te zwijgen. Altijd te zwijgen. Wat is er aan de hand met vrouwen die altijd kiezen om over hun verdriet te zwijgen? Soms sloot hij me op in mijn eigen huis, omdat ik me slecht had gedragen in het bijzijn van zijn vrienden. Of omdat ik naar een vriend van hem had gelachen op een manier die hij onfatsoenlijk vond. Je zag hoe ik voor hem zorgde, maar wat je niet zag was wat zijn ziekte van hem had gemaakt. Aan het eind van zijn leven werd hij bitter. Soms barstte hij plotseling in woede uit, dan weer in tranen omdat hij niet in staat was voor ons te zorgen. Omdat hij niet de man kon zijn die hij dacht dat hij altijd zou zijn, de trotse Manding, de man die in zijn huishouding voor alles zorgde. Soms liet ik zijn woede en verdriet mij overspoelen. Ik kon niet anders. Dan lag ik naast hem in bed en voelde ik mijn hart scheuren van de enorme last van verdriet die het moest dragen, en ik voelde dat hij voelde dat ik ongelukkig was, omdat iedere keer als ik wakker werd om even weg te gaan, om even te ontsnappen aan dat hele bestaan, ik hem voelde omdraaien, met tranen in zijn gezicht. Hij liet me niet gaan, hij hield me vast, gevangen, doodsbang dat als ik hem de rug toekeerde dat het eind van onze liefde zou betekenen. Misschien had hij gelijk. Meer dan eens was ik het allemaal zat en wilde ik weg om mijn jeugd te hervinden. Om hem te vinden in de armen van een man die me kon waarderen, me kon laten voelen dat ik een mooie vrouw was, begeerd, bemind. Mij wordt vaak verweten dat ik weinig van deze Europese wereld ken, maar hoe kon ik deze wereld leren kennen als ik mijn handen vol had aan je oom, Mansakeh?'

Op dit punt keek ze door het raam naar de muren van wolken die het vliegtuig leek te doorsnijden. Mansakeh hield nog altijd haar hand vast. En hij voelde op een gegeven moment dat ze zijn hand ook hard greep met een tederheid die hun beiden een vreemd maar enigszins bevredigend gevoel bood. Ze lieten elkaars handen niet los totdat ze het landschap van hun land van herkomst zagen: een eindeloos uitgestrekte deken van groene, weelderige bossen en wouden. Ze begonnen allebei weer over de dode na te denken, ieder op zijn eigen manier.

De Geus/Oxfam Novib-reeks

Ieder mens heeft recht op een fatsoenlijk bestaan. Honderden miljoenen mensen leven echter in armoede. De belangrijkste oorzaak van armoede is onrechtvaardigheid. Structureel armoede bestrijden begint daarom bij de basisrechten van ieder mens. Oxfam Novib strijdt voor een rechtvaardige wereld zonder armoede. Samen met mensen, organisaties, bedrijven en overheden. Via projecten en lobby. Lokaal én internationaal, want armoede en onrecht zijn wereldwijde problemen en hebben te maken met onrechtvaardige economische en politieke verhoudingen. Daarom werkt Oxfam Novib samen met Oxfam International. Samen hebben we meer invloed en bereiken we meer in onze strijd voor een rechtvaardige wereld zonder armoede.

Met de boekenreeks waarin *Requiem voor de eerste generatie* is opgenomen, biedt Oxfam Novib, samen met uitgeverij De Geus, schrijvers uit niet-westerse landen een podium. Hiermee willen we de betrokkenheid van lezers bij niet-westerse landen en culturen vergroten.

Meer informatie over Oxfam Novib en de boeken in de De Geus/Oxfam Novib-reeks kunt u vinden op www.oxfamnovib.nl. U kunt zich op die site ook abonneren op de Oxfam Novib-boekenabonnementen of de leverbare titels bestellen in de webwinkel.

Oxfam Novib, Postbus 30919, 2500 GX Den Haag,
is telefonisch bereikbaar op 070 3421 777
en per e-mail op info@oxfamnovib.nl.